D1128503

DIAN

Ein versunkenes Königreich in China

**Kunstschätze aus dem Museum der Provinz
Yünnan in Kunming, Volksrepublik China**

Herausgeber: Albert Lutz, Museum Rietberg Zürich

Zürich
Museum Rietberg Zürich
24. Mai - 31. August 1986

Wien
Museum für Völkerkunde, Wien
10. September - 23. November 1986

Köln
Museum für Ostasiatische Kunst der Stadt Köln
5. Dezember 1986 - 1. März 1987

Berlin
Staatliche Museen Preussischer Kulturbesitz
Museum für Ostasiatische Kunst
14. März - 24. Mai 1987

Stuttgart
Linden-Museum Stuttgart
Staatliches Museum für Völkerkunde
4. Juni - 16. August 1987

Herausgeber:	Albert Lutz Museum Rietberg Zürich
Redaktion:	Helmut Brinker Universität Zürich
Autoren:	Sun Taichu, Museum der Provinz Yünnan, Kunming Li Kunsheng, Museum der Provinz Yünnan, Kunming Kang Yong, Museum der Provinz Yünnan, Kunming Wang Dadao, Museum der Provinz Yünnan, Kunming Magdalene von Dewall, Südasieninstitut der Universität Heidelberg
Übersetzer:	Marie-Fleur Burkart-Bauer, Basel Beatrix Nüscheler, Zürich Lorenz Bichler, Zürich
Fotos:	Museum der Provinz Yünnan, Kunming Albert Lutz (Abb. 1, 2, 5, 6, 7)
Gestaltung:	Isabelle Wettstein und Brigitte Kauf, Zürich
Umschlag:	Atelier Weiersmüller, Zumikon
Umzeichnungen: und Karten:	Atelier Weiersmüller, Zumikon H.E. Nellissen, Hof (Abb. 13, 15)
Druck:	J.E. Wolfensberger AG, Zürich
Satz:	Setzerei Cizmek AG, Zürich
Photolithos:	Cliché + Litho AG, Zürich

ISBN Nr. 3-907070-10-0

Inhalt

Zeittafel

Neolithikum	ca. 6000–2000 v. Chr.
Xia-Dynastie	21.–16. Jahrhundert
Shang-Dynastie	16.–11. Jahrhundert
Westliche Zhou-Dynastie	11. Jahrhundert–771
Östliche Zhou-Dynastie	770–256
Chunqiu-Periode	722–481
Zhanguo-Periode	481–222
Qin-Dynastie	221–206
Westliche Han-Dynastie	206 v. Chr.–9 n. Chr.
Xin-Dynastie (Wang Mang-Interregnum)	9–24
Östliche Han-Dynastie	25–220
Drei Reiche	220–265
Südliche Dynastien (Sechs Dynastien)	221–589
Sechzehn Nord-Staaten	304–439
Sui-Dynastie	581–618
Tang-Dynastie	618–906
Fünf Dynastien	907–960
Liao-Dynastie	907–1125
Song-Dynastie	960–1279
Jin-Dynastie	1115–1234
Yuan-Dynastie	1279–1368
Ming-Dynastie	1368–1644
Qing-Dynastie	1644–1912
Republik	1912–1949
Volksrepublik	seit 1949

Vorwort

Abb. 1
Das Museum der Provinz Yünnan, Kunming.

Das Museum der Provinz Yünnan in Kunming ist, der Name sagt es, spezialisiert auf die Geschichte und Kultur der im äussersten Südwesten Chinas gelegenen Provinz Yünnan. Die beiden Schwerpunkte der reichhaltigen Sammlung bilden die alten Bronzefunde der Dian-Kultur und verschiedenartigste Kulturgüter der 24 ethnischen Minderheiten der Provinz. Das Museum ist ein Forschungszentrum für Archäologie; es verwaltet und konserviert die archäologischen Funde und veranstaltet Sonderausstellungen.

Aus dem überreichen Fundus an Kunstschätzen der Dian-Kultur sind für die Ausstellung 100 Kunstwerke sorgfältig ausgewählt worden. Sie stammen aus verschiedenen Grabungsfeldern in der Gegend des Dian-Sees, insbesondere aus Shizhaishan im Bezirk Jinnig und aus Lijiashan im Bezirk Jiangchuan; entstanden sind sie zwischen dem 7. und dem 1. Jahrhundert v. Chr.

Der aus historischer Sicht sicherlich bedeutendste Fund ist das im Jahr 1955 in Shizhaishan, Jinning, entdeckte Siegel des Königs von Dian. Dieser Fund bestätigte die Zuverlässigkeit der historischen Aufzeichnungen des grossen Historiographen Sima Qian aus der Han-Dynastie. Das Königreich Dian wurde durch dieses Siegel lokalisierbar und historisch greifbar.

Bronzeobjekte, wie Schatzbehälter, die zur Aufbewahrung von Kaurischnecken dienten, Nackenstützen, Trommeln, Mundorgeln *(sheng)* und verschiedenartige Schmuckobjekte, sind charakteristisch für die Kultur der Dian und belegen die Eigenständigkeit und den künstlerischen und technischen Erfindungsreichtum dieses Volkes. Andererseits lassen sich auch manche Gemeinsamkeiten mit benachbarten Kulturen aus dem mittleren und unteren Huanghe-Becken sowie den Kulturen von Shu und Ba erkennen. Verschiedene Ausstellungsobjekte zeigen, dass zwischen diesen Völkern des alten China bereits enge wirtschaftliche und kulturelle Beziehungen bestanden haben. Dieser kulturelle Austausch ist ein Beleg für die Einheit der Kultur des chinesischen Volkes.

Diese Ausstellung mit Kunstschätzen aus dem Museum der Provinz Yünnan ist im Rahmen eines Kulturaustausches zwischen den Partnerstädten Zürich und Kunming zustande gekommen. Es ist der Gastfreundschaft des Stadtpräsidenten von Zürich, Herrn Dr. Thomas Wagner, zu verdanken, dass wir diese Kunstschätze im Museum Rietberg zeigen dürfen. Anschliessend wird die Ausstellung auch in Österreich und in der Bundesrepublik Deutschland zu sehen sein. Ich bin sicher, dass aufgrund dieser Ausstellung die freundschaftliche Zusammenarbeit und das gegenseitige Verständnis zwischen China einerseits, der Schweiz, Österreich und der Bundesrepublik Deutschland andererseits gefördert wird und die Ausstellung auf den wissenschaftlichen Austausch in den

Bereichen der Urgeschichte und der Archäologie einen grossen Einfluss haben wird.
Von ganzem Herzen wünsche ich der Ausstellung «Dian, ein versunkenes Königreich in China» auf ihrer Reise in Europa einen guten Erfolg.

Hu Zhendong
Direktor des Museums der Provinz Yünnan

Vorwort

1973 konnte in Paris ein erstauntes Publikum zum ersten Mal in Europa zur Kenntnis nehmen, was die chinesische Archäologie in fast zweieinhalb Jahrzehnten seit der Gründung der Volksrepublik an Schätzen aus Chinas Vergangenheit zutage gefördert hatte. Die spektakulären Funde, die alle aus kontrollierten, teils systematisch durchgeführten Grabungen stammten, erschlossen nicht nur dem Fachpublikum neues interessantes Material, sondern weckten in breiten Publikumskreisen das Interesse für chinesische Kunst und Archäologie. Mittlerweile sind China-Ausstellungen mit Exponaten aus der Volksrepublik zu publikumswirksamen Anlässen geworden. Mehrere grosse Ausstellungstourneen in Europa haben seither das breite Spektrum der chinesischen Kunst von den Anfängen im Neolithikum bis zu Funden aus neuerer Zeit mit repräsentativen Objektgruppen aus einzelnen Epochen und mit Werken aus den umfangreichen Sammlungen renommierter Museen umfassend beleuchtet.
Schon in der ersten grossen europäischen China-Ausstellung in Paris, London, Wien und Stockholm waren einige während der späten fünfziger Jahre ausgegrabene Stücke der Dian-Kultur zu bewundern, die auf die Existenz dieser im Südwesten Chinas gelegenen Randkultur zur Zeit der Westlichen Han-Dynastie (206 v. Chr.–9 n. Chr.) aufmerksam machten. Mit dieser Dian-Ausstellung wird nun erstmals in der westlichen Welt die Kunst und Kultur dieses unbekannten, vor 2000 Jahren untergegangenen Königreichs in ihrer gesamten Breite und Vielfalt vorgestellt.
Zwei markante, reichhaltige Fundkomplexe, die Königsnekropole am Shizhai-Berg und das Gräberfeld vom Lijia-Berg, ragen durch ihren Umfang und durch die künstlerische Qualität der Funde – im Vergleich zu den zahlreichen anderen Fundstätten Zentral-Yünnans in der Gegend des Dian-Sees – klar heraus. Das in diesen beiden, etwa 40 Kilometer voneinander entfernten Grabkomplexen sichergestellte Material besticht durch seine Einheitlichkeit, so dass deren Zugehörigkeit zu derselben Kultur nie bezweifelt wurde. Man vergleiche nur die beiden klassischen Dian-Bronzetrommeln (Kat. Nr. 12, 13) in dieser Ausstellung, von denen eine aus Shizhaishan, die andere aus Lijiashan stammt. Hingegen haben die von den Archäologen durchgeführten naturwissenschaftlichen Altersbestimmungen der beiden Hauptfundorte ergeben, dass weite Bereiche des Gräberfeldes von Lijiashan bereits gegen Ende des 6. oder im frühen 5. Jahrhundert v. Chr., die wichtigsten Gräber von Shizhaishan jedoch erst zwischen 150 und 50 v. Chr. entstanden sein dürften. Die späte Datierung von Shizhaishan ist dank der Eisenfunde und der zahlreichen zuverlässig datierbaren Importobjekte aus dem Kerngebiet des chinesischen Reichs gesichert. Wegen der Einheitlichkeit des Fundmaterials an beiden Orten sind jedoch insbesondere aus stilistischen Erwägungen die Argumente für die ausserordentlich frühe Datierung von Lijiashan nicht restlos überzeugend. Bis eine zuverlässige chronologische Abfolge der Dian-Funde aufgestellt werden kann, folgen wir hier gern

den Datierungsvorschlägen der chinesischen Archäologen. Zwei aussergewöhnliche Werke, die zwar in der Provinz Yünnan gefunden wurden, jedoch nicht unmittelbar der Dian-Kultur zugerechnet werden können, fanden dank ihrer hervorragenden Bedeutung für die Archäologie Südwestchinas Eingang in diese Ausstellung. Der zwei Meter lange, weitab vom Kernland der Dian-Kultur in West-Yünnan gefundene Bronzesarg (Kat. Nr. 6.) übertrifft in seiner Grösse sämtliche Funde der Dian-Kultur, und die einfache, nur mit vertikalen Graten verzierte Kesseltrommel aus Wanjiaba (Kat. Nr. 7) gilt als das älteste Beispiel dieser in ganz Südostasien verbreiteten Trommelart.
Bei der erstmaligen Konfrontation mit Kunstwerken der Dian ist man ganz unmittelbar von deren erzählerischen Qualitäten fasziniert. Wie kaum ein anderes Volk haben es die Dian verstanden, Begebenheiten ihres Alltags sowie kultische und kriegerische Ereignisse mit Hilfe der Bronzeplastik, vor allem reizvoller Figureninszenierungen und sensibel behandelter Reliefs, in künstlerisch lebendige Form umzusetzen. Die vielen, äusserst bewegt komponierten Tierkampfdarstellungen bestechen durch ihren Naturalismus, der auf einer genauen Beobachtung der Verhaltensweisen von Mensch und Tier beruht. Versucht man sich von der Dian-Kultur ein umfassendes Bild zu machen, so wird man, wenngleich die schriftlichen Überlieferungen chinesischer Historiographen, welche die Dian als südwestliche Barbaren abtun, nicht sehr ausführlich sind, für diesen Mangel durch die vielen les- und deutbaren Bronzekunstwerke dieses kunstsinnigen Volkes reichlich entschädigt.
Für die freundschaftliche und entspannte Atmosphäre während der Vorbereitungsgespräche zu dieser Ausstellung in Kunming möchte ich mich bei den Behörden der Provinz Yünnan und der Stadt Kunming, insbesondere bei Herrn Bürgermeister Pan Yingsheng, und bei den Verantwortlichen und Mitarbeitern des Museums, vor allem bei Herrn Direktor Hu Zhendong, herzlich bedanken. Ich hoffe, dass auf dieser Basis in Zukunft noch weitere gegenseitige Ausstellungsprojekte realisiert werden können.
Für die Herstellung des Katalogs konnten wir auf die grundlegenden wissenschaftlichen Arbeiten von Archäologen des Yünnan-Provinzmuseums zurückgreifen. Freundlicherweise haben Herr Sun Taichu und Herr Wang Dadao aus ihrer reichen Erfahrung im Umgang mit dem Originalmaterial uns einführende Katalogtexte zur Verfügng gestellt. Leider war es nicht möglich, alle Informationen und Beiträge in vollem Umfang in den Katalog aufzunehmen. Dennoch möchte ich an dieser Stelle Herrn Li Kunsheng und Herrn Kang Yong bestens danken für ihre ausführlichen Studien zur Dian-Kunst, die bei der Vorbereitung des Katalogs die Basis unserer Kenntnis entscheidend verbreitert haben.
Ohne die Mitarbeit von Frau Dr. Magdalene von Dewall vom Südasien-Institut der Universität Heidelberg, die sich seit Jahren mit grossem Engagement der Erforschung der Dian-Kultur widmet, und Herrn Prof. Dr. Helmut Brinker von

Abb. 2
Ansicht des Dian-Sees in der Nähe von Shizhaishan, Jinning.

der Universität Zürich, der sich in freundschaftlicher Verbundenheit mit dem Museum Rietberg und dem Herausgeber dazu bereit erklärte, die redaktionelle Betreuung zu übernehmen, hätte der Katalog nicht in dieser Form erscheinen können. Ebenfalls möchte ich mich für die Übersetzungen der chinesischen Manuskripte bei Frau Marie-Fleur Burkart, Frau Beatrix Nüscheler und Herrn Lorenz Bichler bedanken.
Schliesslich gilt der Dank des Rietbergmuseums den Direktoren der an dieser Ausstellungstournee beteiligten Museen in Wien, Köln, Berlin und Stuttgart, die kurzfristig ihre Zusage zur Übernahme der Ausstellung gegeben haben. Ich hoffe, dass die erfreuliche Zusammenarbeit sich bei zukünftigen Plänen und Projekten wiederholen wird, diese Ausstellung das Verständnis der alten und so reichen Kultur Chinas in Europa vertiefen möge und schliesslich die Exponate sicher und unbeschadet in ihr Heimatmuseum in Kunming zurückkehren mögen.

Albert Lutz

Die Entdeckung der vor 2000 Jahren untergegangenen Dian-Kultur

Sun Taichu

Das Königreich Dian, das sich in der Gegend um den Dian-See ausbreitete, erlebte vom 4. bis 1. Jahrhundert v. Chr. seine Blütezeit. Mit ihrer hochentwickelten Bronzekultur haben die Dian einen bedeutenden Beitrag zur reichhaltigen Geschichte Chinas geleistet. Über 2000 Jahre lagen die Zeugen dieser Bronzekultur in der Erde verborgen, und erst die seit der Gründung der Volksrepublik China intensivierte archäologische Tätigkeit ermöglichte es, die Bedeutung der Dian-Kultur im richtigen Licht zu sehen und zu würdigen. Die Entdeckung, die Ausgrabungen und die wissenschaftliche Erforschung der Dian-Kultur sollen in diesem Artikel kurz beleuchtet werden.

Die Hochebene des Dian-Sees in Zentral-Yünnan

Das Gebiet des Dian-Sees liegt im Zentrum der durch die Yunling-Bergkette begrenzten Provinz Yünnan. Die fruchtbare, etwa 800 km² grosse Hochebene zeichnet sich durch ein mildes Klima aus. Die wichtigsten Städte dieses Plateaus, das heute noch das wirtschaftliche, politische und kulturelle Zentrum der Provinz ist, sind Kunming, Chenggong, Jinning, Anning, Fumin und Songming. Die auf allen Seiten von Bergen und Hügeln umschlossene und von Flüssen durchzogene Hochebene ist im Vergleich mit anderen Gegenden der Provinz verkehrstechnisch gut erschlossen. Die Ufer des etwa 300 km² grossen fischreichen Sees, den man in früheren Zeiten den «500-Meilen-*(li)*-See» nannte, sind mit unzähligen kleinen Dörfern besetzt. Etwa 300 m über dem Seespiegel erheben sich am Westufer die dicht bewaldeten Gipfel der Westberge. In dieser malerischen Landschaft mit ihren blau schimmernden Kiefernwäldern und kräftig grünen Bambushainen liegen buddhistische Tempel und taoistische Klöster verborgen. Um die Entstehung der Namen dieser Berge am Dian-See haben sich schon seit vielen Jahrhunderten zahlreiche Sagen gebildet. Zu diesen gehört, um nur eine zu nennen, die Geschichte vom «Goldenen Pferd» und vom «Jadegrünen Huhn». Zur Zeit der Zhou-Dynastie (11.–3. Jh. v. Chr.) soll in Indien (Tienzhu) ein König gelebt haben, der drei Söhne hatte. Ihm gehörte auch ein wundersames «Götter-Pferd», das alle seine Söhne besitzen wollten. Der König befahl, das Pferd freizulassen. Wem es gelänge, das Pferd einzufangen, der solle es zum Geschenk erhalten. Der dritte Sohn verfolgte das wunderbare Tier bis auf einen Berg an der Ostseite des Dian-Sees, und weil es ihm gelang, an diesem Ort das Pferd zu fangen, erhielt dieser den Namen Jinmashan, «Berg des goldenen Pferdes». Als kurz darauf der älteste Sohn ankam, erschien auf dem Berg am gegenüberliegenden Ufer ein grosser, grüner Vogel, und so bekam er den noch heute gebräuchlichen Namen Bijishan, «Berg des jadegrünen Huhns».

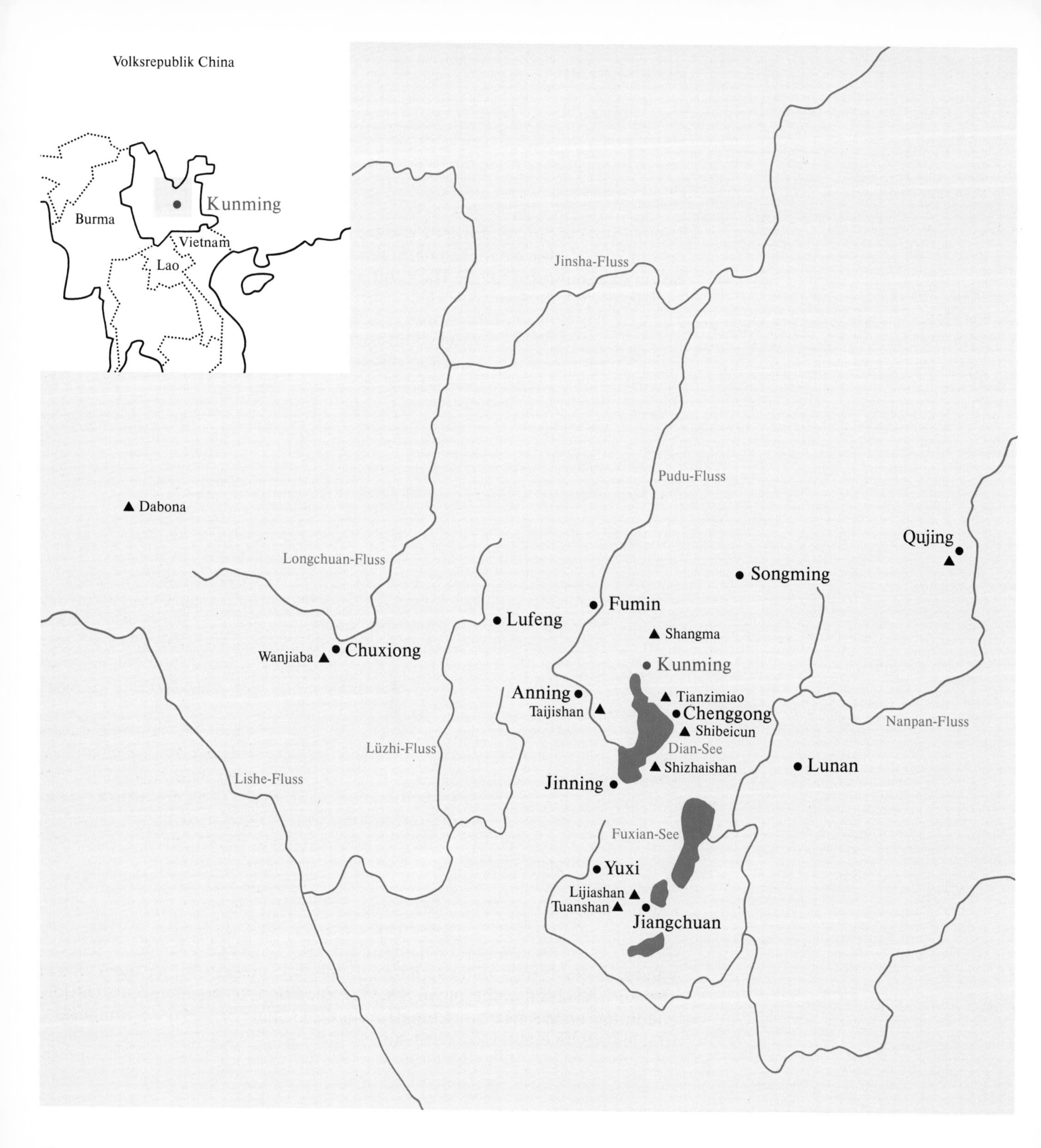
Volksrepublik China
Burma
Kunming
Vietnam
Lao
Jinsha-Fluss
Pudu-Fluss
Dabona
Longchuan-Fluss
Qujing
Songming
Fumin
Lufeng
Shangma
Wanjiaba
Chuxiong
Kunming
Anning
Tianzimiao
Taijishan
Chenggong
Shibeicun
Nanpan-Fluss
Dian-See
Lüzhi-Fluss
Lishe-Fluss
Shizhaishan
Lunan
Jinning
Fuxian-See
Yuxi
Lijiashan
Tuanshan
Jiangchuan

Zehn Flüsse unterschiedlicher Grösse münden in den Dian-See, der bei Haikou in den Pudu-Fluss, einen Seitenarm des Yangzi-Oberlaufs, fliesst. Die vom Indischen Ozean einströmende Warmluft und der Einfluss des Monsuns sorgen in der immerhin 1894 m ü. M. liegenden Gegend des Sees für ein gemässigtes Klima. Die durchschnittliche Jahrestemperatur beträgt 15 °C. In den letzten Jahren aber haben die stark steigende Besiedlungsdichte und die Industrialisierung der Gegend einerseits zu einer für die Ökologie des Sees negativen Senkung des Wasserspiegels und andererseits zu ungewohnt starken Klimaschwankungen geführt, so dass man heute nicht mehr, wie noch vor dreissig Jahren, sagen kann: «In den vier Jahreszeiten gibt es keinen Frost und keine Hitze; wenn es regnet, dann ist der Winter da.»

Die Entdeckung eines Königreichs

Obwohl es nicht viele historische Quellen über das Dian-Reich gibt, wusste man aus den Chroniken der alten chinesischen Geschichtsschreiber seit langem, dass vor mehr als 2000 Jahren im äussersten Südwesten Chinas ein Königreich namens Dian existiert hatte. Im *Shiji,* den «Historischen Aufzeichnungen» des Sima Qian (135?–93? n. Chr.), finden wir im Kapitel über die «Beschreibung der barbarischen Völker des Südwestens» unter anderem folgende aufschlussreiche Bemerkungen:
«Von den zahlreichen Anführern der Barbarenstämme des Südwestens ist derjenige von Yelang der wichtigste. Im Westen von Yelang gibt es viele weitere Mimo-Anführer, von denen derjenige von Dian der bedeutendste ist. Im Norden von Dian gibt es nochmals zahlreiche Häuptlinge, von denen der Herrscher der Qiongdu der wichtigste ist. Die Angehörigen dieser Stämme haben ihre Haare zu einem Knoten hochgebunden; sie betreiben Ackerbau und wohnen in Siedlungen...
Zur Zeit der Streitenden Reiche (481–222 v. Chr.) hatte der König Wei von Chu einen General namens Zhuang Qiao mit Truppen ausgeschickt... Als er mit seinen Soldaten in das 300 Quadrat-*li* grosse Gebiet des Dian-Sees kam, fand er weite Ebenen mit viel fruchtbarem Land. Durch die Macht seiner Truppen konnte er das Gebiet unterwerfen und zum Königreich Chu schlagen. Als er aber zurückkehren wollte, um über seine Expedition zu berichten, hatte Qin [der zukünftige erste Kaiser von China] bereits die Gebiete Ba und die Kommandantur Qianzhong erobert, die einst zum Königreich Chu gehört hatten. Auf diese Weise war dem General Zhuang Qiao der Heimweg abgeschnitten. Er kehrte zurück und wurde mit Hilfe seiner Truppen König von Dian. Er wechselte seine Kleidung, nahm die lokalen Sitten an und handelte als Oberhaupt...

Abb. 3
Zentral-Yünnan

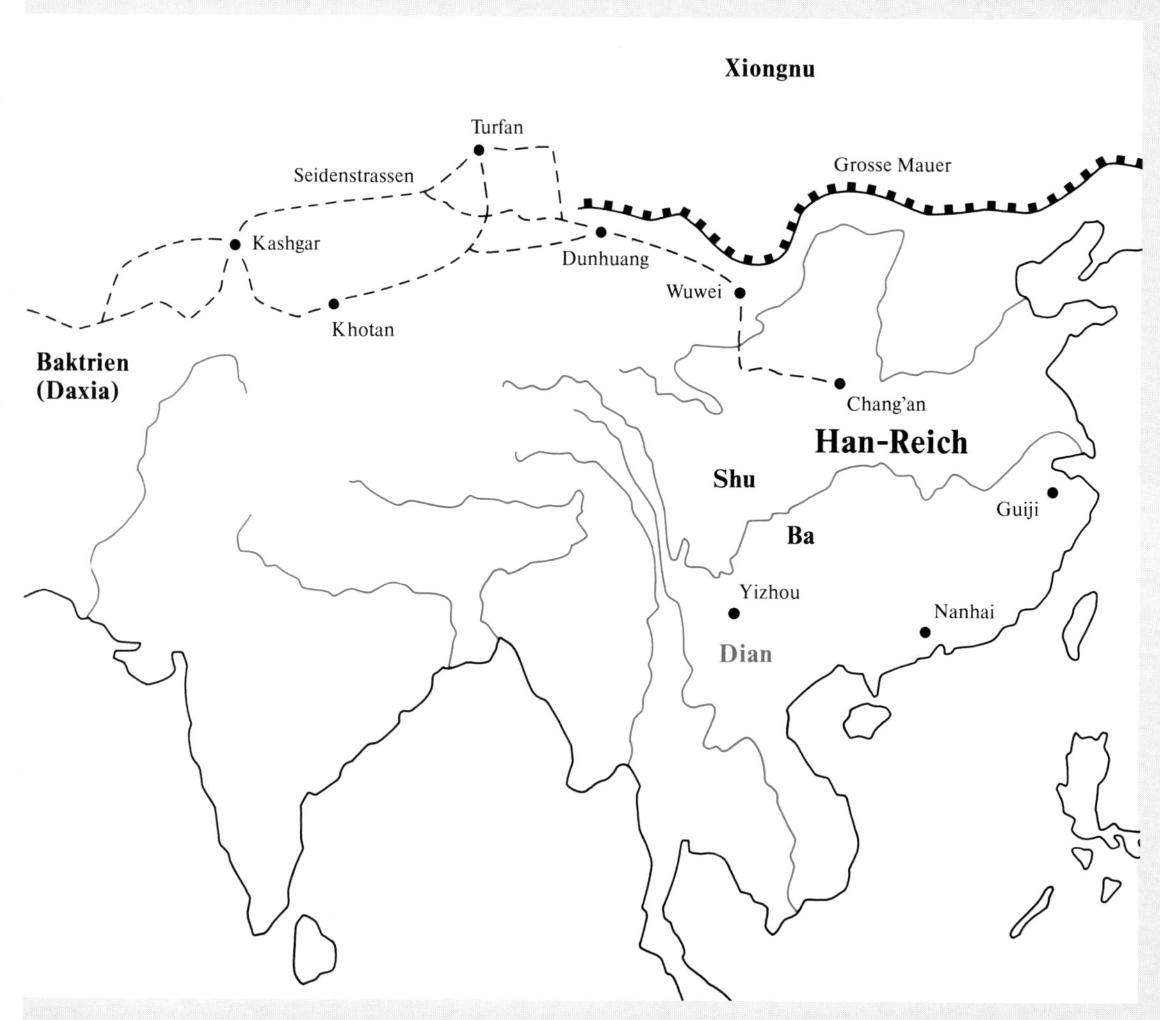

Abb. 4
China zur Zeit der Westlichen Han-Dynastie (206 v. Chr.–9 n. Chr.) und die Seidenstrassen nach Westasien.

Viele Jahre später, während der Regierungsperiode *Yuanshou* (122–117 v. Chr.) kehrte Zhang Qian, der Markgraf von Bowang, nach einer langen Reise, die ihn bis nach Daxia [Baktrien, im heutigen Nordafghanistan] geführt hatte, nach China zurück. Er berichtete, er habe Textilien aus Shu [Sichuan] und Bambuswaren, die ebenfalls aus China stammten, in Daxia gesehen. Als er sich nach deren Herkunft erkundigt habe, sei ihm gesagt worden, diese stammten aus dem Tausende von *li* entfernten Indien; dort seien sie von einem Händler aus Shu verkauft worden. [Aus dieser Textstelle kann herausgelesen werden, dass Händler aus Shu, dem heutigen Sichuan, auf dem Landweg offenbar eine Verbindung nach Indien gefunden hatten. Diese Information war für den chinesischen Kaiser ausserordentlich wichtig, bedeutete sie doch, dass es neben den nördlichen, ständig von Nomadenvölkern blockierten Karawanenstrassen auch einen Weg nach Baktrien über die heutigen Gebiete von Sichuan, Yünnan, Burma und Indien geben musste.]
Zhang Qian berichtete ausserdem hocherfreut, das Daxia, das südwestlich des chinesischen Han-Reichs liege, dieses mit Bewunderung ansehe. Er bedauerte sehr, dass die Xiongnu die Verbindungswege besetzt hielten. Aber falls ein Weg über Shu gefunden werden könne, sei dieser kurz und bequem und würde allen nützen. Daraufhin sandte der Kaiser seine drei Botschafter Wang Ranyu, Bai Shichang, Lü Yueren und andere, um neue Wege in das Gebiet westlich der West-Barbaren zu erkunden und so auf dem Landweg nach Indien gelangen zu können. Als sie nach Dian kamen, wurden sie vom König Changqiang festgehalten. Länger als ein Jahr wurden sie von den Kunming eingeschlossen, und deshalb vermochten sie Indien nie zu erreichen. Der König von Dian habe zu den Gesandten aus Han-China gesagt: ‚Mein Reich ist doch grösser als eures, nicht wahr?‘ Schon in Yelang hätten die Leute geglaubt, ihr Land sei grösser als das chinesische Reich. Da die Wege zwischen Han-China und den westlichen Gebieten noch nicht erschlossen waren, wussten die Fürsten dieser isolierten Länder nicht, dass Han-China viel grösser war. Als die Gesandten zurückgekehrt waren, schlugen sie vor, man solle versuchen, Dian näher an sich zu binden, da es sich um ein grosses Land handle. Der Himmelssohn [der Han-Kaiser Wu] schenkte dem Beachtung...
Im zweiten Jahr der Regierungsdevise *Yuanfeng* (109 v. Chr.) sandte der Kaiser Truppen nach Ba und Shu, um die Laojin- und Mimo-Barbaren zu vernichten und um gegen Dian zu ziehen. Da der König von Dian guten Willens war, wurde sein Leben verschont... Er ergab sich, und man bat um Beamte, die das Königreich verwalten sollten. So wurde Dian zur Yizhou-Kommandantur gemacht, dem König von Dian wurde das Königssiegel überreicht, und so konnte dieser wieder über sein Volk herrschen. Von den mehreren hundert Barbaren-Anführern des Südwestens erhielten nur die Könige von Dian und Yelang das Siegel. Obwohl Dian klein war, wurde es am meisten mit Wohlwollen bedacht.»

Die historischen Quellen zeigen einerseits, dass die Expansion des Han-Imperiums in Richtung Südwesten vor allem aus Gründen der Sicherung neuer Handelswege nach Südasien erfolgte und andererseits, dass das Königreich Dian eine bedeutende Position innerhalb der Völker des Südwestens besass. Mit Ausnahme dieser Quellen aber gab es keine Hinweise auf Leben und Kultur in diesem an der Peripherie des riesigen chinesischen Reiches gelegenen Königreich Dian zur Zeit der Han-Dynastie.

Ein Zufall war es, der weiteres Material über die Dian-Kultur ans Licht brachte. Im Jahr 1953 kaufte das Museum der Provinz Yünnan mehr als zehn Bronzewaffen von einem lokalen Antiquitätenhändler. Die Qualität der Waffen war ausserordentlich gut, und unser Interesse war geweckt. Von Fang Quxian, einem alten Mitglied des Forschungsinstituts für Literatur und Geschichte, erfuhren wir, dass zu Beginn des Zweiten Weltkriegs viele solcher Waffen in seinem Heimatbezirk Jinning ausgegraben und von den einheimischen Bauern als Schrott verkauft worden waren. Im Oktober 1954 entsandte das Museum Mitarbeiter, die herausfanden, dass die Waffen des Antiquitätenhändlers vom Shizhai-Berg im Bezirk Jinning stammten. Von den Bauern des nahegelegenen Dorfes erfuhren wir, dass sie schon früher etwa 300 kg Bronzegegenstände ausgegraben und verkauft hatten. Uns überliessen die Bauern den noch vorhandenen Rest an Funden: einen Speer und eine Axt aus Bronze sowie ein Steinbeil. Wir vermuteten zunächst am Shizhai-Berg auf Überreste einer mit einem Wall umgebenen neolithischen Siedlung gestossen zu sein. Daneben aber fanden wir auch bronzezeitliche Gräber.
Im März 1955 nahmen Xiong Ying, Ma Yinghe und ich am Shizhai-Berg die ersten Sondagen vor. Der Shizhai-Berg (Abb. 5), ein 500 m vom Ostufer des Dian-Sees entfernter Karsthügel, liegt 5 km westlich der heutigen Jinchen-Kommune. Seine nord-südliche Ausdehnung beträgt 500 m, an der breitesten Stelle misst er etwa 200 m. Der höchste Gipfel liegt 33 m über dem Seespiegel. Die Westseite des Hügels war während langer Zeit direkt der Brandung des Sees ausgesetzt und fällt daher steil ab. Die Ostseite ist flacher; sie bildet einen Abhang mit einigen Felsen und dichtem Dornengestrüpp. Da und dort erkennt man Grabhügel (Abb. 7) aus neuerer Zeit. Aus der Ferne sieht der Berg wie ein im Wasser liegender Walfisch aus; man nennt ihn auch den «Walfisch-Berg». Nach lokalen Aufzeichnungen gehörte das Gebiet während der Han-Zeit zur Yizhou-Kommandantur. Die neolithischen und bronzezeitlichen Fundstellen liegen auf halber Höhe des Berges.
An zwei verschiedenen Orten begannen wir mit Sondierungsgrabungen. Am ersten Ort entdeckten wir das Grab Nr. 1, das leicht beschädigt war, in dem sich dennoch Hunderte von Grabbeigaben fanden, unter anderem eine Bronzetrommel, das berühmte Kaurischneckengefäss mit der Darstellung webender

Abb. 5
Shizhaishan, Jinning

Frauen, eine Bronzeaxt (Kat. Nr. 26), ein Spiegel und ein eisernes Schwert mit Bronzegriff. Grab Nr. 2 war stark zerstört und leer. An der zweiten Stelle stiessen wir auf Überreste einer neolithischen Siedlung: Wir fanden Keramikgefässe und -scherben, ein Steinbeil, Pfeilspitzen sowie eine Feuerstelle und ein menschliches Skelett in hockender Stellung. Die Sondage ergab ferner, dass der Erdwall, der einst offenbar die gesamte Anlage umschloss, weder aus dem Neolithikum noch aus der Bronzezeit stammen konnte. Direkt am Wall fanden wir später nämlich Pfeilspitzen und Gewichtsteine, die eindeutig später zu datieren waren als die bronzezeitliche Gräbergruppe. Gemäss lokalen historischen Berichten soll der Shizhai-Berg in der Yuan-Dynastie (1279-1368) von den Soldaten des Liang Wang als Quartier benützt worden sein. Als die feindlichen Truppen der Ming in das Gebiet eindrangen, wurde Liang Wang auf einen Hügel, der etwas nördlich von Shizhai liegt, zurückgedrängt und besiegt. Der Wall am Shizhai-Berg dürfte wohl mit den Ereignissen um Liang Wang zu tun gehabt haben.

Abb. 6
Aussicht auf den Dian-See von Shizhaishan aus.

Mit diesen ersten Grabungen öffnete sich gleichsam eine seit mehr als 2000 Jahren verschlossene Schatzkammer der Bronzekultur im Gebiet um den Dian-See, und die darauffolgenden Grabungskampagnen brachten immer mehr Material zutage. In vier weiteren Kampagnen zwischen 1956 und 1960 entdeckte man 50 Gräber und mehr als 4000 verschiedene Grabbeigaben. 1956 wurde im Grab Nr. 6 das berühmte goldene Siegel des Königs von Dian gefunden, und damit wurde bestätigt, dass der Shizhai-Berg vor rund zwei Jahrtausenden als Königsgrabstätte der Dian gedient hatte.

Abb. 7
Das archäologische Feld von Shizhaishan (Aufnahme 1984).

Nicht weniger als 3000 Grabbeigaben wurden in der Zwischenzeit bei ähnlichen Grabungen in Kunming, Anning, Chenggong, Jiangchuan, Chengjiang, Fumin, Lunan und Lufeng sichergestellt. Nur um weniges kleiner als die Grabstätte am Shizhai-Berg stellte sich die Grabanlage am Lijia-Berg im Bezirk Jiangchuan heraus. Die Gräber des etwa 3 km südlich der alten Stadt Jiangchuan gelegenen Grabbezirks vom Lijia-Berg enthielten mehr als 1000 Grabbeigaben, unter anderem den einzigartigen Ritualtisch in Gestalt eines Rindes, das von einem Tiger angegriffen wird (Kat. Nr. 1).

An dieser Stelle möchte ich meine aufrichtige Dankbarkeit dem verstorbenen Vizekulturminister Zheng Zhenduo und dem ehemaligen Präsidenten der Academia Sinica, Guo Moruo (1892-1978), ausdrücken. Sie waren es, die uns, nachdem wir die ersten Objekte ausgegraben haben, anspornten, mit den Ausgrabungen fortzufahren.

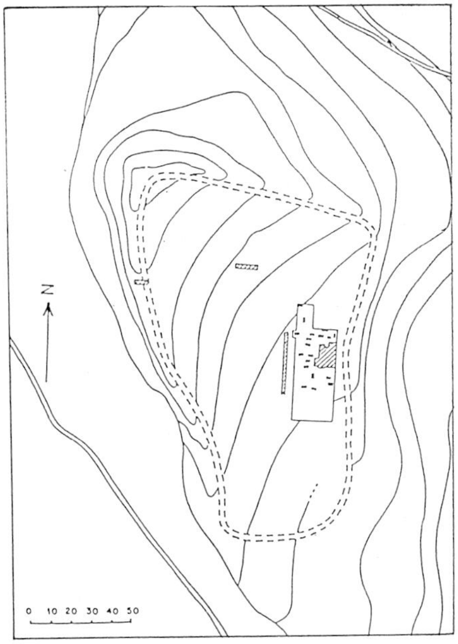

Abb. 8
Lageplan von Shizhaishan, Jinning.

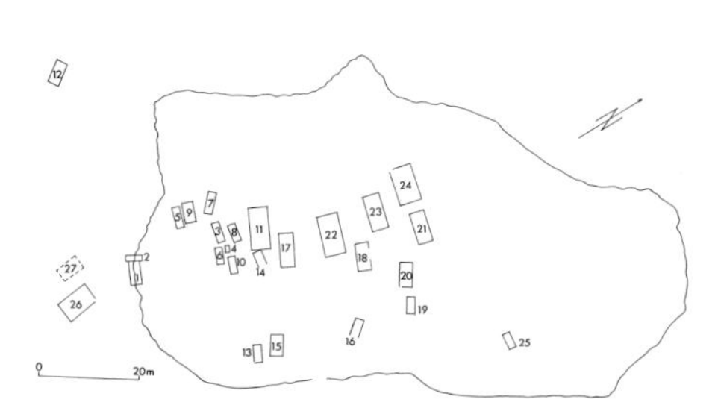

Abb. 9
Gräberfeld von Lijiashan, Jiangchuan.

Archäologische Funde als Zeugen einer blühenden Kultur

Die zahlreichen archäologischen Funde aus dem Gebiet des Dian-Sees zeichnen sich durch eine grosse typologische Vielfalt sowie durch ihr hohes künstlerisches und technisches Niveau aus. Manche Bronzeobjekte der Dian kann man sicherlich zu den grossartigsten Schöpfungen der Weltkunst zählen. Die Vorliebe der Dian-Künstler, einerseits alltägliche Begebenheiten, wie Jagd, Weberei, Ackerbau, und andererseits kultische und kriegerische Ereignisse minuziös nachzubilden, erlauben es, die Relikte der Dian als historischen «Lesestoff» zu benützen. Unsere Aufgabe besteht darin, sachgetreue, wissenschaftliche Interpretationen zu diesen Zeugen der alten Bronzekultur zu liefern.

Von den insgesamt mehr als 7000 ausgegrabenen Gegenständen sind ungefähr 80% aus Bronze. Diese Tatsache ist vor allem auf den Reichtum an Kupfer in dieser Gegend zurückzuführen. Im *Hanshu,* der «Geschichte der Han-Dynastie» (im Kapitel über Geographie) und im *Hou Hanshu,* der «Geschichte der Späteren Han-Dynastie» (im Kapitel Junguo), steht geschrieben, dass im Kreis Dian Eisen, im Kreis Yuyuan Kupfer und in den Kreisen Lügao, Bengu und Shuangbo Silber, Zinn und Blei gefördert werden. Metallurgische Untersuchungen der 1976 im Fuhao-Grab in Anyang, Provinz Henan, gefundenen Bronzeobjekte aus der Shang-Zeit (13. Jh. v. Chr.) hatten ergeben, dass das Kupfer wahrscheinlich aus Yünnan stammt. So führte der Reichtum an Naturressourcen zu einer blühenden Bronzekultur und damit zu einem hohen technologischen Wissen bei der Bronzeverarbeitung.

Die Mehrzahl aller gefundenen Bronzeobjekte können als Waffen identifiziert werden. Die Speere, Lanzen, Schwerter, Äxte, Hellebarden, Hämmer, Keulen, Armbrüste und Pfeilspitzen dienten vornehmlich zum praktischen Gebrauch bei kriegerischen Auseinandersetzungen und bei der Jagd; reich verzierte, teilweise auch recht unhandliche Waffen sind jedoch sicherlich auch als Zeremonialgeräte benutzt worden. Mit Hilfe dieser Waffen sicherte sich die Herrschaftsschicht der Dian einerseits ihre Machtposition im Innern; andererseits dienten sie als Rüstzeug für die zahlreichen kriegerischen Auseinandersetzungen mit den Nachbarvölkern (Kat. Nr. 27) sowie für Raub- und Beutezüge (Kat. Nr. 88). Der hohe technologische Stand bei der Bronzeverarbeitung trug ferner wesentlich zum Aufschwung der Landwirtschaft bei. Unter den mehr als 100 Ackerbaugeräten, die man bis heute fand, sind Hacken, Sicheln und Schaufeln vorherrschend. Die reich verzierten Ackerbaugeräte, die in verschiedenen Herrschergräbern entdeckt wurden, dürften bei Fruchtbarkeitsritualen eine Rolle gespielt haben (Kat. Nr. 25). Die Bedeutung des Ackerbaus bei den Dian wurde, wie schon erwähnt, auch von Sima Qian in seinen «Historischen Aufzeichnungen» unterstrichen.

Wie durch die Szene auf dem Deckel eines Schatzbehälters (Kat. Nr. 25) nahegelegt wird, kam den Frauen eine dominierende Stellung beim Ackerbau zu. Die Männer gingen vor allem der Viehzucht nach und betätigten sich als Jäger. Sicherlich stand die Viehzucht im wirtschaftlichen Leben nach dem Ackerbau an zweiter Stelle. Man züchtete Rinder, Schafe, Pferde, Schweine und manche andere Tiere. Darstellungen von Rindern findet man in vielfältigster Art in der Bronzekunst der Dian. Das Rind spielte ausser als Nahrungslieferant auch in Opferritualen eine zentrale Rolle. Darstellungen von Rindern fanden auf verschiedenartigste Weise Eingang in die Dian-Kunst: Rinder im Kampf mit wilden Tieren (Kat. Nr. 1, 4), als Beutetiere (Kat. Nr. 82, 83, 88), in Herden (Nr. 5, 56) und als schmückendes Beiwerk (Kat. Nr. 19, 22). Im *Huayang guozhi,* dem im Jahr 347 n. Chr. verfassten «Bericht über das Reich von Huayang» [Gebiete von Guizhou, Yünnan, Sichuan und Süd-Shenxi] steht, dass Sima Xiangru (179?-117 v. Chr.) als Belohnung für eine Expedition 300000 Rinder, Pferde und Schafe erhalten habe. Und im *Hanshu* wird berichtet, dass im Jahr 82 v. Chr. der Barbarenverwalter Tian Guangming und der Hauptmann Wang Ping als Belohnung für eine Invasion nach Yizhou (im heutigen Yünnan) mehr als 100000 Stück Vieh als Belohnung in Empfang nehmen konnten, und schliesslich heisst es im *Hou Hanshu,* dass der General Liu Shang den Barbaren-Anführer von Yizhou im Jahr 45 n. Chr. bezwungen habe und als Belohnung 3000 Pferde und 30000 Rinder und Schafe erhalten habe. Die Tatsache, dass man durch einen einzigen Kriegszug zu solchen Mengen von Vieh gelangen konnte, beweist den damaligen Reichtum an Vieh in diesen südwestlichen Gebieten Chinas.
Neben der Viehzucht spielte auch die Jagd und die Fischerei eine gewisse Rolle. Jedenfalls findet man vereinzelt Darstellungen dieser Tätigkeiten auf Bronzeobjekten. Auf der Wandung eines Kaurischneckenbehälters aus dem Grab Nr. 1 in Shizhaishan erkennt man Darstellungen von Jägern; auf einer Gürtelschmuckplatte (Kat. Nr. 84) jagen zwei berittene, mit langen Lanzen bewaffnete Krieger zwei Hirschen nach.
Unter den Handwerkzweigen stand die Metallverarbeitung zweifellos im Vordergrund. Die Bronzehandwerker beherrschten die verschiedenen Arbeitsprozesse, wie das Herstellen der Gussformen, das Giessen, Löten, Gravieren und Vergolden. Mit Sicherheit gab es schon eine klare Arbeitsteilung, denn nur so konnte ein derart hohes technisches Niveau erreicht werden. Die Dian gossen ihre Bronzeobjekte mit Hilfe eines Wachsmodells, im sogenannten Verfahren der Verlorenen Form *(à cire perdue).* Die grossen Objekte, wie zum Beispiel die Bronzetrommeln (Kat. Nr. 7, 12, 13) oder der grosse Ritualtisch in Form eines Rindes (Kat. Nr. 1), wurden in Einzelteilen gegossen und anschliessend zusammengelötet. Die vielen kleinen Bronzefiguren auf den Kaurischneckenbehältern (Kat. Nr. 25, 27) wurden ebenfalls einzeln gegossen und anschliessend auf die Deckelplatte aufgelötet.

Wie gekonnt die Metallverarbeiter mit ihren Werkstoffen umgingen, haben einige naturwissenschaftliche Analysen von Objekten ergeben: Die Mischverhältnisse der Legierungen wurden keineswegs dem Zufall überlassen. So weisen Waffen den höchsten Gehalt an Zinn auf (14–20%), wodurch ein grosser Härtegrad erreicht wurde. Hingegen verwendete man bei einem Armreif nur sehr wenig Zinn (ca. 6%); die beinahe ausschliesslich aus Kupfer bestehende Bronze blieb dadurch geschmeidig und biegsam. Bronzetrommeln besassen einen Zinngehalt von etwa 15%, wodurch ideale Klangeigenschaften erzielt wurden.
Die archäologischen Funde haben auch gezeigt, dass die Verarbeitung von Halbedelsteinen zu Schmuckformen (Kat. Nr. 51–54 usw.), das Herstellen von Lackwaren und die Töpferei zu den etablierten Handwerkszweigen zählten. Schliesslich ist noch die Textilverarbeitung hervorzuheben. Als ausserordentlich aufschlussreiches Dokument zur Geschichte der Weberei ist im Grab Nr. 1 in Shizhaishan ein Kaurischneckenbehälter gefunden worden mit der Darstellung von Frauen beim Weben. Neun Frauen sitzen vor einfachen Flachwebstühlen, wie sie heute noch bei einigen Minoritätenvölkern von Yünnan verwendet werden. In der Mitte sitzt eine etwas grösser dargestellte Frau, die offensichtlich die Arbeit der Weberinnen überwacht. Ausserdem fand man Haspeln (Kat. Nr. 59), Spinnwirtel (Kat. Nr. 58) und vollständige Garnituren von Webstühlen (Kat. Nr. 57). Schliesslich können auch die in den Gräbern von Lijiashan gefundenen Nähschatullen (Kat. Nr. 56) und Nadelbüchsen (Kat. Nr. 55), in denen man Nadeln ohne Öhr und Fadenspulen entdeckte, weitere Anhaltspunkte für die Textilverarbeitung geben. Man hat durch Analysen von Fadenresten herausgefunden, dass teilweise auch Seidenfäden verwendet wurden. Im Grab Nr. 4 am Tuan-Berg in Jiangchuan und im Erdgrab in der Nähe des Dorfes Shangma bei Kunming entdeckte man ausserdem Hanfseile.
Über den Aussenhandel wird im *Hanshu* gesagt, dass schon zur Zeit der Qin-Dynastie (221–206 v. Chr.) Händler aus Shu und Ba ins Gebiet der südwestlichen Barbaren, d. h. ins Gebiet der heutigen Provinz Yünnan gekommen seien, um Handel zu treiben.
Chinesische Bronzemünzen (Kat. Nr. 91), Spiegel (Kat. Nr. 93, 94) und chinesische Inschriften auf verschiedenen Objekten (Kat. Nr. 46, 96) bezeugen unmissverständlich, dass vor allem vom ersten vorchristlichen Jahrhundert an ein blühender Handel mit dem chinesischen Kernland stattfand. Dies hängt sicherlich mit der 109 v. Chr. in Yizhou mitten im Dian-Gebiet errichteten Kommandantur zusammen, die von chinesischen Beamten verwaltet wurde. In der Folge wurde die einheimische Kultur mehr und mehr von der expandierenden Kultur der Han in den Hintergrund gedrängt; die Zunahme von Grabbeigaben chinesischen Ursprungs belegen diese allmähliche Sinisierung mit Nachdruck.

Die Einordnung des Fundmaterials

Von Anfang an galt die chronologische Einordnung des Fundmaterials als vorrangiges Anliegen unserer wissenschaftlichen Arbeit. Als ich im Jahr 1958 den Bericht über die zweite Ausgrabungskampagne am Shizhai-Berg schrieb, war ich dadurch eingeschränkt, dass bis zu diesem Zeitpunkt noch kein Vergleichsmaterial aus Yünnan zur Verfügung stand. Ich war damals gezwungen, eine vorläufige Klassifizierung vornehmen zu müssen. Mit Hilfe von Vergleichen mit archäologischen Funden aus anderen Provinzen gelangte ich zu den ersten Schlussfolgerungen. Ich unterteilte die 20 Gräber von Shizhaishan in vier verschiedene Typen und in drei Zeitabschnitte, wobei die beiden mittleren Typen in dieselbe Zeit gesetzt wurden. Gräber des ersten, frühesten Typs können etwa in die späte Zhanguo-Periode oder frühe Westliche Han-Dynastie - dies entspricht dem 3. Jh. v. Chr. - datiert werden. Heute kann das Material von Shizhaishan einigermassen klar eingeordnet werden. Überwiegend stammt es aus der Mitte der Westlichen Han-Dynastie, d. h. aus der Zeit zwischen ca. 150–50 v. Chr.
Freilich ist die Bronzekultur der Dian nicht aus dem Nichts entstanden, sondern entwickelte sich kontinuierlich aus einer lokalen Ur-Kultur, die jedoch ständig Einflüssen von aussen ausgesetzt war. Die Kontinuität in der Abfolge der verschiedenen Kulturstufen in der Dian-Region bezeugen verschiedene Funde, bei denen man gleichzeitig neolithisches Material neben Bronzeobjekten entdeckt hat. In Wangjiadun an der Westküste des Dian-Sees fand man sowohl neolithische Steinobjekte als auch Bronzegegenstände. Beim Dorf Shangma auf dem Datuan-Berg lag in einem Grab ein Keramikteller mit einem für neolithische Keramik charakteristischen roten Scherben Seite an Seite mit Bronzewaffen, und auch im bronzezeitlichen Grab Nr. 3 von Shizhaishan entdeckte man ein äusserst schönes neolithisches Steinbeil.
Wollte man die für die Dian-Kultur charakteristischen Erzeugnisse auflisten, dürften folgende Bronzegeräte und -objekte nicht fehlen: Kesseltrommeln (Kat. Nr. 12, 13), kalebassenförmige *sheng*-Blasinstrumente (Kat. Nr. 10, 11), Kaurischneckenbehälter (Kat. Nr. 5, 25, 27, 70), Kopfstützen (Kat. Nr. 4), Ehrenschirme (Kat. Nr. 2), Kurzschwerter (Kat. Nr. 36), Rundäxte (Kat. Nr. 35), mit «Wolfszähnen» besetzte Keulen (Kat. Nr. 44, 45) sowie die vielen typischen Gürtelschmuckplatten (Kat. Nr. 47, 50, 72 usw.). Die Bronzetrommeln, die im Gebiet um den Dian-See zutage kamen, sind im Vergleich zu den westlich des Sees entdeckten Trommeln jüngeren Datums. Von allen in der Provinz Yünnan ausgegrabenen Bronzetrommeln sind jene von Wanjiaba im Bezirk Chuxiong die ältesten bis heute in China entdeckten. Eine dieser frühen, wohl ins 7. Jahrhundert v. Chr. zu datierenden Bronzetrommeln (Kat. Nr. 7) weist nur sehr einfache Verzierungen auf und wurde, wie dies die Russspuren bezeugen, auch als Kochgefäss benützt.

Neben diesen spezifisch lokalen Erzeugnissen, die weitgehend ohne fremde Beeinflussung entstanden sein dürften, lassen sich aber anhand verschiedener Funde der Dian-Kultur auch eine ganze Reihe möglicher Verbindungslinien zu den Nachbarvölkern und zu weit entfernten Kulturzentren erkennen. Seit langem hat man motivische Parallelen zwischen den Tierkampfdarstellungen der Dian und jenen der nördlichen Steppenvölker erkannt.
Während sich jedoch die Bronzeschmuckplatten mit Tierdarstellungen bei den nördlichen Nomadenvölkern durch eine abstrahierende, einfache Gestaltung auszeichnen, beruht der Reiz der Dian-Bronzen vor allem auf der naturalistischen, teils dramatischen Wiedergabe bewegter Tierkampfszenen.
Zu den Nachbarn der Dian gehören ferner die schon früher historisch greifbaren Ba und Shu im heutigen Sichuan. Bereits in der Qin- (221–206 v. Chr.) und dann in der Han-Zeit (206 v. Chr.–220 n. Chr.) gab es Handelsbeziehungen zwischen dem Dian-Gebiet und diesen beiden Regionen. In seinem 1981 erschienenen Artikel «Forschungen zu den Bronzeschwertern aus Südwest-China» kommt Tong Enzheng zu dem Schluss, dass Schwerter, wie sie in Ba und Shu gebräuchlich waren, typologisch direkt mit den Kurzschwertern der Dian verglichen werden können. Obwohl sich bis heute keine eindeutigen Beziehungen zwischen den Kulturen von Ba und Shu einerseits und der Dian-Kultur andererseits nachweisen lassen, scheint ein direkter Kulturaustausch schon allein aus geographischen Gründen wahrscheinlich. Die Keramik der mittleren und späteren Epochen in Shizhaishan weist eine unübersehbare Ähnlichkeit auf mit Objekten aus Gräbern der Zhanguo-Periode (481–222 v. Chr.) und der Westlichen Han-Dynastie (206 v. Chr.–9 n. Chr.) aus Changsha, Provinz Hunan. Wahrscheinlich haben auch hier Verbindungen zwischen den Kulturregionen Chu und Dian bestanden.
Offensichtlich aber war es die fortschrittliche Kultur der Han, die auf die Dian-Kultur den grössten Einfluss ausübte. Nicht erst mit der Errichtung der chinesischen Kommandantur in Yizhou im Jahr 109 v. Chr. öffnete sich die Dian-Kultur den Einflüssen der Hochkultur aus Zentralchina, sondern bereits früher lassen sich Verbindungslinien erkennen. So fand man die für die Shang- und Zhou-Zeit (16. Jh. v. Chr.–3. Jh. v. Chr.) charakteristischen Hellebarden vom Typ *ge* in einer erstaunlich ähnlichen Form schon in Gräbern der frühen Epoche in Shizhaishan. Auch Äxte mit elliptischen Tüllen und Glocken scheinen in Kenntnis chinesischer Prototypen entstanden zu sein. Schliesslich gibt es eine ganze Reihe von Objekten, die entweder direkt aus dem Kernland Han-Chinas importiert oder aber von den Bronzegiessern der Dian genau kopiert wurden. Dazu gehören zum Beispiel Armbrüste (Kat. Nr. 46), Bronzespiegel (Kat. Nr. 93, 94), Zaumzeug, Gefässe vom Typ *hu* (Kat. Nr. 96) und *xi* (Kat. Nr. 99).
Da man heute zuverlässige historische Quellen besitzt, die zeigen, wie weitreichend die Handelsbeziehungen zwischen Westasien, Südasien und China zur

Zeit der Han-Dynastie gewesen sind, ist es auch nicht erstaunlich, dass man sich bei manchen Objekten der Dian-Bronzekunst plötzlich an Motive oder an Kunstwerke aus weit entfernten, bis nach Europa reichenden Bronzekulturen erinnert fühlt.

Wie diese Ausführungen gezeigt haben, lassen sich heute zwar im Hinblick auf die Dian-Kultur die grossen Zusammenhänge mehr oder weniger klar erkennen. Die Zukunft der Erforschung dieser Kultur liegt jedoch in genauen Untersuchungen von Detailfragen, die helfen werden, uns in den vielen noch ungelösten Problemen weiterzubringen. Auch dürften die Archäologen, die heute nach wie vor nach Überresten der Dian-Kultur suchen, mit neuem Material neue Erkenntnisse liefern. Trotz des ungewöhnlich anschaulichen Materials, das bis heute zutage gefördert wurde, können beispielsweise Fragen nach der genauen Gesellschaftsstruktur der Dian oder nach der ethnischen Zugehörigkeit dieses Volkes immer noch nicht detailliert beantwortet werden. Bei dem Problem der ethnischen Zugehörigkeit gibt es verschiedenste Hypothesen: Einzelne Forscher glauben, die Dian gehören zur Diqing-Nationalität, andere beschreiben sie als Angehörige der Pu-Nationalität. Nicht nur viele Gelehrte in China widmen sich zurzeit der Erforschung der bronzezeitlichen Kultur von Yünnan, sondern auch im Ausland, in Japan, in den Vereinigten Staaten von Amerika und in der Bundesrepublik Deutschland gibt es Forscher, die ein äusserst reges Interesse an diesen Studien gefunden haben und ihre Erkenntnisse über Themen dieser Region publiziert haben. Ich hoffe, dass durch die Zusammenarbeit der Gelehrten aus verschiedenen Ländern die Forschung auf diesem Gebiet neue Impulse erhält und überzeugende Resultate zeitigt.

Die frühe Stammeskultur von Dian im Zeugnis der Archäologie

Magdalene von Dewall

Einführende Bemerkungen zur Fundcharakterisierung

Als eine kleine Sensation für die archäologische und chinakundliche Fachwissenschaft darf man auch heute noch, dreissig Jahre nach Bekanntwerden der ersten bei systematischen Grabungen gewonnenen Fundresultate, die damaligen und seither laufend vermehrten Entdeckungen der Zeugnisse einer frühgeschichtlichen Bronzekultur im zentralen Yünnan bezeichnen. Das Erstaunen galt ja nicht allein der für die Regionalgeschichte bedeutsamen Tatsache, dass eine textliche Überlieferung der Geschichtsschreibung über Siedelgruppen am See von Dian, die nach anfänglichem Widerstand dem imperialen Expansionsdrang Han-Chinas gegen Ende des 2. Jahrhunderts v. Chr. schliesslich nachgaben, hier sichtbar und handgreiflich auferstand. Vielmehr geht der nachhaltigste Eindruck noch immer von der Direktheit der bildnerischen Aussage aus, deren unverschlüsselte Mitteilsamkeit in den Bildinhalten in nichts der Vitalität an künstlerischer Ausdruckskraft nachsteht. Von daher gesehen scheint es ein Leichtes, die Bildbronzen von Dian – dem mit Namen überlieferten lokalen Stammesfürstentum – zum Reden zu bringen, denn sie erscheinen insgesamt als Selbstzeugnisse von Stammesgenossen, deren Sinnen und Trachten ihre Bildkünstler zu einer Fülle immer neu abgewandelter Bildvisionen und szenischer Kompositionen inspirierten.
Nicht minder eigenwillig als in den künstlerischen Äusserungen entfaltete sich ein ausgeprägter Gestaltungswille auch in eigenständigen Gebrauchsformen, in Arbeitsgeräten und Waffen sowie Hohlformen für Gefässe, Behälter oder Klangkörper und unter Mitverwendung von mineralischen Rohstoffen für Formen des individuellen Körperschmucks. Doch mit diesen formalen und funktionalen Gattungen ist der ganze Reichtum gegenständlicher oder figürlicher Formgebung und der häufigen Verschmelzung beider bei weitem nicht erschöpft.
Wer sich als Ausstellungsbesucher einer ausgesuchten Auswahl solcher grossenteils fremdartigen Gerätschaften und eigenwilligen künstlerischen Ausdrucksformen erstmals gegenübersieht, wird über die Sachbeschreibung und die Darlegung der primären Fundzugehörigkeit hinaus Fragen stellen und beantwortet sehen wollen, die sich auf nur mittelbar nachweisbare oder doch ursächlich gemeinte Intentionen und auf Sinnzusammenhänge beziehen, in denen vertraute und seltsame Gebrauchszwecke und Ausdruckshaltungen sich zum besseren Verständnis eines andersartigen Lebenszuschnitts zusammenführen lassen. Diesen Zusammenhängen schrittweise nachzugehen, stellt sich auf der Basis des publizierten Fundmaterials dem kulturgeschichtlich interpretierenden Archäologen als Aufgabe.
Die Erforschung von Bodendenkmälern als Zeugen vergangenen Kulturlebens ist eine nüchterne Tätigkeit, die nicht auf Schatzsuche aus ist, sondern auf Spurensicherung. Jedem Fundgegenstand oder Fundzusammenhang seinen

Zeugnischarakter abzugewinnen, heisst, ihm einen Eigenwert zuzugestehen, um zu beurteilen, ohne zu bewerten. Der Zeugnischarakter der Funde aus der Dian-Kultur setzt sich insgesamt aus ihrer Bedeutung in drei Bezugsebenen zusammen, in denen sie jeweils einzeln sinnerfüllten Eigenwert annehmen: als einer Gebrauchsfunktion zugewiesenes Objekt unterlag der Gegenstand formal zweckgebundenen Erfordernissen, als einem Toten in sein Grabgut ausgewählte Beigabe vertritt er persönliche und zwischenmenschliche Bindungen und wird zum Medium der Wechselbeziehungen im sozialen Nexus des Verstorbenen, als Werk künstlerischer Gestaltung übermittelt er Momente sichtbaren Geschehens und inneren Erlebens. Daraus ist offensichtlich, dass der in seinem Zeugnischarakter beschlossene Eigenwert des Fundgutes sich in jedem einzelnen Fall auf ganz unterschiedliche Weise manifestiert. Dafür geben weniger die jeweiligen Komponenten einzeln den Ausschlag als die Beziehungsgeflechte, die sich auf einander überlagernden Bedeutungsebenen aus diesen Komponenten ergeben.

Die Besonderheit des Fundgutes in der Dian-Kultur, in der bei vielen Gegenständen der bildnerische Gestaltungsdrang die anfängliche Gebrauchsform völlig überspielt und ent-funktionalisiert hat, legt es nahe, diesen Eigenheiten spezielle Aufmerksamkeit zu widmen und sich bei den Gebrauchsformen und ihren Verteilungsmustern nur so weit aufzuhalten wie nötig, um den weiteren kulturgeschichtlichen Hintergrund zu umreissen, von dem sich die Dian-Kultur so markant abhebt. Während sich sowohl der Verwendungszweck funktional geformter Objekte, wie etwa einer Waffe oder einer Armschiene, wie andererseits die künstlerische Aussage in ihrer für Dian charakteristischen Unmittelbarkeit einer aufmerksamen Beobachtung direkt erschliessen und nur ergänzende Information erfordern, ist der Sinnbezug einer jeden Beigabe in einer Totenausstattung nicht am Fundgegenstand selbst evident und bedarf der hinführenden Erläuterung und einer unterstützenden Ausdeutung.

Einer Rückführung der Grabbeigaben auf ihre soziale Einbindung in ein Wechselverhältnis individueller Lebensstufen und zwischenmenschlicher Verpflichtungen, kurz auf die soziale Person, die der Tote vorstellt, kommt bei den Dian-Funden entgegen, dass die Bestattung normalerweise in Einzelgräbern erfolgte, und nicht in gemeinschaftlichen Grabanlagen. Jedes Grab ist damit nicht nur eine eigenständige Raumeinheit, allerdings variabel nach Ausmass und Ausführung des Innenraums, manchmal mit massiven Holzeinbauten in Blockbauweise, aber meist nur einfache Erdgruben, in denen Holzsärge nicht regelmässig nachweisbar sind; es ist zugleich eine auf den darin Bestatteten bezogene Sach- und Sinneinheit. Wird mit Sacheinheit der Tatbestand angesprochen, dass alle im Grab vorhandenen Beigaben ein Ensemble bilden, das zum Zeitpunkt der Beisetzung für diesen Zweck gebildet wurde, so bezieht sich Sinneinheit auf eine Vielzahl nur indirekt erschliessbarer Merkmale, die Auswahl

und Zusammensetzung des jeweiligen Grabinventars bestimmten, aber auch seine Niederlegung bzw. Aufstellung im Grabraum beeinflussen konnten.
Auf solche Merkmale, die persönliches Eigentum oder gemeinschaftsbezogene Verpflichtung kennzeichnen können oder die auf der einen Seite durch den Einsatz extrem aufwendiger Materialien hervortreten und auf der anderen durch ausgefallene künstlerische «Experimente», die sich auf Exklusivität bevorzugter Arten von Beigaben in manchen Inventaren und in anderen auf den bewussten Verzicht darauf beziehen und die vor allem zur Vervielfachung gleichartiger Objekte weit über das Normalmass persönlichen Gebrauchs hinaus führten, wird noch näher einzugehen sein. Sie sind es, die innerhalb der Dian-Grabfunde die besonders stark fluktuierende, aber dennoch nicht regellose oder willkürlich entstandene Zusammensetzung des einzelnen Inventars ausmachen. Der Begriff Volumen zu ihrer Charakterisierung meint dabei nicht ausschliesslich den mengenmässigen Umfang, sondern schliesst verallgemeinernd ganz verschiedenartige, insgesamt wertsteigernde Merkmale der Beigaben mit ein. Er umgreift auch Vorstellungen von Dichte im Sinne eines nach Typen ausgewogenen Grundbestandes, andererseits Breite im Sinne einer Vielfalt verschiedenartiger Typen und Formen.

Die Dian-Kultur im archäologischen Umfeld der Gesamtregion

Die archäologische Forschung in Südwest-China hat seit der Entdeckung des ersten kompakten Gräberfeldes von Shizhaishan, dessen etwa fünfzig grossenteils intakte Bestattungen in vier Kampagnen zwischen 1955 und 1960 ausgegraben und sukzessive veröffentlicht wurden, beachtlichen Aufschwung erfahren. Davon wurden in den Folgejahren mehr und mehr auch andere Fundgebiete im Westen und Nordwesten von Yünnan erfasst, bis in die im Norden angrenzenden Landstriche des südlichen Sichuan um Xichang und das Liangshan-Gebirge, und im Osten, über Yünnan hinausgreifend, das westliche und mittlere Guangxi und im Nordosten Teile von Guizhou.
Generelle Übereinstimmungen im Formenbestand, etwa bei den weit verbreiteten Hacken oder einfachen Tüllenbeilen und unter den Waffen, z. B. den Lanzenspitzen, verbinden die Dian-Funde im zentralen Yünnan mit ihren Nachbarn und diese untereinander allerdings nur auf so undifferenzierte Weise, dass daraus allein ein zugrundeliegendes Substrat weiträumig gemeinsamen Kulturbesitzes nur unzulänglich begründet werden kann. Wohl lässt sich an interessanten Einzelformen, so etwa für das Kompositschwert mit Eisenklinge und Bronzegriff, eine direkte wechselseitige Einflussnahme in der Formgebung zwischen Dian und bestimmten Nachbargebieten verfolgen – im Fall der Schwerter einerseits vom Westen und Nordwesten Yünnans auf Dian und andererseits von

Dian auf den Nordwesten Sichuans in die Gegend des oberen Minjiang – oder auch unter den Nachbarn selbst. Aus den angrenzenden Gebieten kennen wir zudem vereinzelt eigenständig gestaltete Bildwerke in Bronze. Eindrucksvollstes Beispiel ist der in Hausform aus schweren Bronzeplatten zusammengefügte Sarg von Dabona (Kat. Nr. 6) aus dem westlichen Yünnan. Aber von einigen nahen Parallelen zum eigenwillig variierten Dekor auf einer Gruppe der für die Dian-Funde typischen *ge*-Dolchäxte mit Hohlschaft im Fundbestand ausserhalb Yünnans abgesehen, hat weder die sowohl nüancenreiche wie disziplinierte Ornamentkunst am Gerät, noch die freiplastisch figürliche Gestaltung anthropomorpher und zoomorpher Vorbilder ausserhalb von Dian Pate gestanden.

Ganz anders verhält es sich freilich mit den über Südchina hinaus auch in der Gesamtregion Südostasien verbreiteten Bronzetrommeln und ihren Artverwandten, die nach dem frühen Fundort im Tongking-Delta mit dem Begriff der «Dongson-Kultur» oft auch dann verknüpft werden, wenn sie weit entfernt

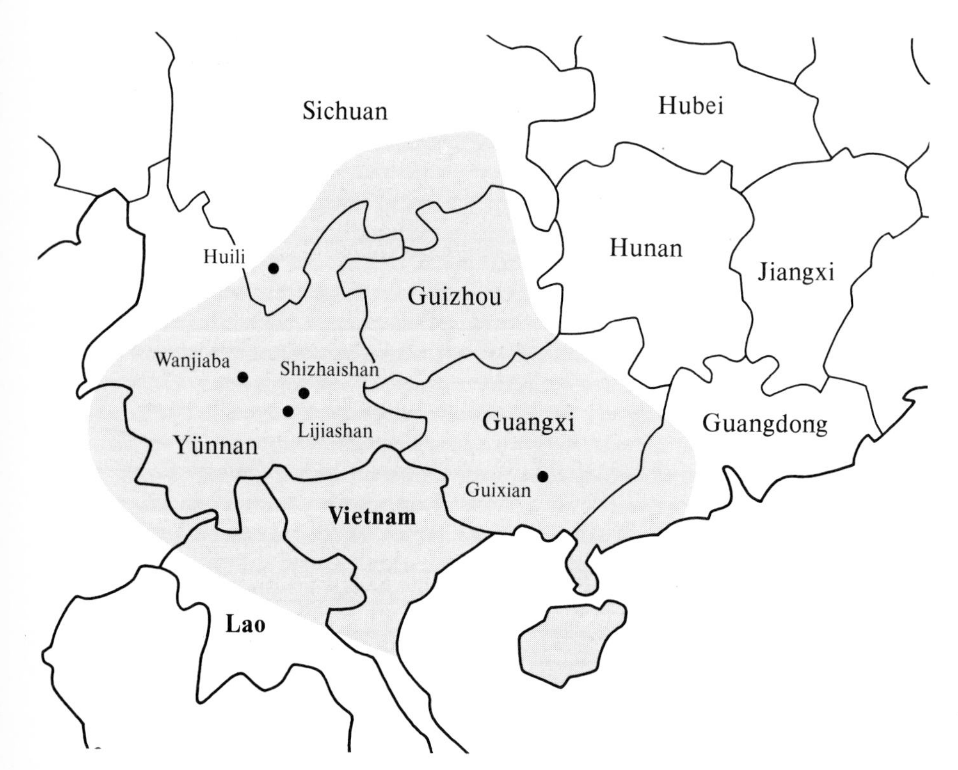

Abb. 10
Verbreitungsgebiet der frühen Bronzetrommeln.

vom nordvietnamesischen Fundgebiet in Thailand, Malaysia oder Indonesien entdeckt wurden. Der breiten geographischen Streuung über Teile von Festland- und Insel-Südostasien steht in Nordvietnam, aber vor allem in Südchina von Dabona im Westen bis Huili im südlichen Sichuan und Guixian im mittleren Guangxi eine bemerkenswerte Funddichte der frühesten Vertreter unter den Trommelformen gegenüber (Abb. 10). Deren Einheitlichkeit in gewissen Stilzügen und im Dekoraufbau, der sich für Mantel und Tympanum eines variabel zusammengesetzten, aber thematisch wiederkehrenden Motivschatzes bedient, ist unverkennbar. Freilich ist sich die Fachwelt noch uneins darüber, wie man diese Affinität künstlerischer Ausdrucksmittel kulturgeschichtlich einzuordnen habe. Kulturpolitisch divergierende Interessenschwerpunkte verhindern bislang eine unbefangene Aussprache über Chinas Landesgrenzen hinaus nach Süden und die überregionale Kooperation bei der Lösung offener Fragen über Herstellungszentren, Datierungen und wechselseitige Abhängigkeiten.
Zu den offenen Fragen, die noch auf weiträumige Beantwortung warten, gehören aber auch andere als formale und stilistische Gemeinsamkeiten, nämlich das paarweise Vorkommen der Trommeln im Grabgut und im rituellen Gebrauch und ihre auffälligen, sich mehrmals wiederholenden sekundären Fundumstände. Wenn sie, wie häufig in den Dian-Grabfunden, umgewandelt begegnen zu Behältnissen für wertvollen Inhalt, wie Kaurischnecken als Zahlungs- bzw. Tauschmittel, aber auch umgedreht, wie im Grab Nr. 24 von Lijiashan (Abb. 24), der Aufnahme eines ganzen Waffenarsenals dienen oder im Fund von Xilin im Westen Guangxis Totengebeine enthalten, spricht sich darin ein aus stilistischen Ableitungen nie erklärbarer gemeinsamer Sinngehalt aus. Eine von der Verwendung als Klanginstrument weit abgerückte sinnstiftende Rolle spielen sie hin und wieder auch durch ihre besondere räumliche Position im Grabe, z. B. im Gräberfeld von Wanjiaba bei Chuxiong (Kat. Nr. 7) an eigens gesicherter, tiefer gelegener Stelle in der Grabsohle geborgen und ganz ähnlich weit im Osten von Dian innerhalb einer Grabausstattung für einen Han-chinesischen Würdenträger, die darin eine Anleihe bei den Stammeskulturen machte und in der umgedrehten Bronzetrommel im Boden unter der Hauptbestattung einen Satz bronzener Speiseplatten verwahrte. Schliesslich gibt auch die prominente Position der eigentlichen Trommeln und der abgewandelten oder artverwandten Behältnisse zu Häupten und zu Füssen der Bestattung in bestimmten Dian-Gräbern noch Fragen auf, denen weiter nachzugehen sich lohnen dürfte. Mit solchen Beobachtungen über teils weiträumige Korrespondenzen einer emphatischen Wertsteigerung der Bronzetrommel in ihren Verwandlungsformen spannen sich mit dem Prototyp der südchinesisch-südostasiatischen Spätbronzezeit von allen Seiten die dichtesten Verbindungslinien zum eigentlichen Brennpunkt im Fundraum der Dian-Kultur.

Gräbergruppen und Gräberinventare: ihre wechselseitige Verknüpfung innerhalb der Dian-Kultur

Einer gewissen Rechtfertigung bedarf zunächst die scheinbare Grosszügigkeit, mit der in der voraufgegangenen und anschliessenden Diskussion archäologischer Sachverhalte Datierungsfragen behandelt oder übergangen wurden bzw. werden, was nicht heissen soll, dass ihnen keine Beachtung zukäme. Mit den präzisen Aussagemöglichkeiten zu chronologisch begründeten Untersuchungen westlichen Zuschnitts kann die oft methodisch nur unbefriedigende Erörterung von Datierungsgrundlagen für die Fundkomplexe bronzezeitlichen Gepräges aus der weiteren Fundregion in der internen Fachliteratur kaum Schritt halten. Dieser Mangel wirkt auf die Dian-Kultur und ihre möglichen Ausstrahlungen in Fragen der Datierung zurück. Sie sachgerecht und kritisch neu aufzurollen, ist hier nicht der Raum; es ist auch nicht notwendig, um verstehend tiefer in die internen Verhältnisse der Dian-Kultur Einblick zu nehmen. Mit Verhältnissen sind dabei wörtlich nicht nur statisch fixierte Zustände gemeint, sondern Formen des Verhaltens und des Zueinander-in-Beziehung-Stehens, was dynamische Momente von Spannung, von Abwandlung und von Interaktion mit umgreift. Auch die interne zeitliche Erstreckung der als Kontinuum vorgefundenen Gräbergruppen ist in ihrer unterschiedlichen Inventarzusammensetzung auf diese Weise dynamisierend zu gliedern.
Das Auftreten von Kulturgütern Han-chinesischer Herkunft in Fundeinheiten der Dian-Kultur legt deren Entstehungszeit auf die beiden letzten vorchristlichen Jahrhunderte fest, parallel zur hochchinesischen Frühen Han-Dynastie (206 v. Chr. bis 9 n. Chr.). Solche Fundobjekte, wie *wushu*-Münzen, Bronzespiegel, vereinzelt auch Gegenstände der persönlichen Ausstattung, wie Gürtelhaken oder Waffen, und ab und zu Gefässe oder Lackgeräte Han-chinesischen Typs überschneiden sich nur zum Teil im Gräberinventar mit den weiter verbreiteten einheimischen Eisenprodukten. Gesehen auf dem Hintergrund einer vorwiegend mit dem Werkstoff Bronze arbeitenden Metallurgie, müssen die ungleichmässig verbreiteten Waffen und Geräte aus Eisen und vor allem die verschiedenen Formen, die beide Metalle ihren spezifischen Vorzügen gemäss kombinieren: schärfbares Eisen für Klingen und Schneiden und bildsame Bronze für Hefte und Griffe (Kat. Nr. 33), als Neuerung eingestuft werden, für die es ausserhalb von Dian keine vergleichbare Spielbreite gibt. Damit kommt ihnen zwar ein relativer Aussagewert über ihren Zeitbezug zu, aber er reicht bei wissenschaftlich-kritischer Prüfung allein nicht aus, die Zeittiefe präzise festzulegen, um die der Verbreitungshorizont der aus oder mit Eisen gearbeiteten Produkte noch hinter den Einfuhr-Horizont Han-chinesischer Güter zurückgeht. Aus einer Perspektive, die den Neuerungswert in der Abwandlung von Nutzungserscheinungen für das Verstehen sozialer Vorgänge höher veran-

schlagt als den Zeitbezug für die chronologische Feindatierung, zählt in erster Linie die Erfindungskraft, Experimentierfreude und technische Meisterschaft der Metallurgen und Schmiedehandwerker vor Ort und zuzätzlich die soziale Wertigkeit ihrer Leistung in der Würdigung ihrer Produkte bei der Zusammenstellung der Gräberinventare. Wenn die Eisenverwendung in Dian auch als Innovationserscheinung zu sehen ist, sind deshalb dennoch nicht alle Inventare, die wohl Bronzewaffen und -geräte, aber keine aus Eisen enthalten, zeitlich sehr viel früher anzusetzen. Bei einer sorgfältig abwägenden Aufschlüsselung aller Faktoren, die bei der Auswahl von Beigaben sehr verschiedenwertiger Kategorien ausschlaggebend waren und die bei der Inventarbildung keineswegs nur nach gleichlaufenden Prinzipien zur Wirkung kamen, bieten sich jedenfalls auch Einsichten und Erklärungen an, die nicht notwendig eine interne Phasenverschiebung in der Diskrepanz der Verteilungsmodi bei solchen Fundarten sehen müssen, die, wie das im Gebrauch überlegene, schlagkräftigere Eisen oder die begehrenswerten, weil seltenen Han-Importstücke, schon für sich eine grössere Attraktivität und damit im Grunde einen höheren Prestigewert besitzen.
Lässt auch das externe Beziehungsgeflecht einzelner kultureller Erscheinungen an Dian-Funden hinsichtlich der Verbreitung von Einflüssen der Dian-Kultur nach ausserhalb noch viele Fragen offen, so dass keine feste Grenzziehung für ihr Einzugsgebiet möglich ist, so ist ihre Kristallisation um den gleichnamigen See südlich von Kunming und das unmittelbar östlich anschliessende Hügelland mit weiteren Seen unstrittig und durch eine in den letzten drei Jahrzehnten stetig angewachsene Zahl von Fundpunkten als dicht besiedelter Kernraum bezeugt. Auch wenn Siedlungsplätze zeitgleich zu den Bestattungen mit bronzezeitlichem Gepräge aus diesem Kernraum von Dian bisher nicht und die Bestattungsplätze nur zum Teil publiziert wurden, erlauben Verteilung und Eigenheiten der nach und nach bekanntgewordenen Gräberfelder inzwischen doch sozialgeschichtliche Rückschlüsse, die sich sinnvoll ergänzend mit bildlich gewonnenen Aufschlüssen zur Gesellschaftsverfassung zusammenfügen als ein in sich stimmiges und bei traditionellen Stammesgruppen Südostasiens ähnlich auffindbares Lebensbild.
Im Unterschied zu den nach Umfang und Zusammensetzung weitgefächerten Grabinhalten und nach Bauart und Ausmass jeweils verschiedenartigen Grabanlagen im grösseren südwestchinesischen Fundraum zeigt sich das Fundbild der Dian-Kultur geschlossener und, obwohl nicht einheitlich zwischen den jeweiligen Fundpunkten, übereinstimmend in den Grundzügen und beziehungsreicher im Quervergleich charakteristischer Erscheinungen. Auf dem Hintergrund dieses einheitlichen Grundcharakters im Fundgut treten in der Verteilung der kennzeichnenden Sondererscheinungen in den verschieden strukturierten Gräberfeldern auf die für eine soziale Aufschlüsselung entscheidenden einzelnen Grabeinheiten deutlich Schwerpunkte und Unterschiede

hervor, die in ihren Ansatzpunkten und Auswirkungen kenntlich gemacht werden können, ohne eine Bestandsaufnahme der Gesamtbefunde ausbreiten zu müssen.

Die künstlerische Selbstdarstellung: der einzelne als Glied der Gemeinschaft

Figürliche Darstellungen des Menschen sind auf Bronzegeräten ausserhalb der Dian-Kultur selten, sieht man einmal ab von den gesondert zu betrachtenden Bronzetrommeln. Was die Bildkunst von Dian demgegenüber kennzeichnet, sind Fülle und Variationsbreite von Handlungsmotiven und der Einfallsreichtum menschlicher Figurenbehandlung. Ähnliches gilt auch für die Tierdarstellung und widerlegt bei näherer Betrachtung den oberflächlichen Eindruck, diese trage wesentliche Züge des «Tierstils» innerasiatischer Kunstprovinzen, dessen dekorativ zum Zierbild umgeformte Ausdrucksqualitäten das Tierbild der Dian-Kunst so nicht teilt. In ihr gehen Mensch und Tier eine so enge Symbiose in den flächigen und plastischen Darstellungsformen ein, wie sie in vergleichbar vielfältiger Abwandlung keine andere nach Lebens- und Erfahrungsraum nahestehende Stammeskultur vorzuweisen hat.

Abb. 11
Bootsmannschaft in Federschmuck. Fragment eines Ritualgefässes (Abreibung).

Die Faszination der treffsicheren Wiedergabe von Mensch und Tier in Haltung und Bewegung hat einen zweifachen Grund: sie entspringt der Dichte der Bildkomposition und zugleich der Spannung des Bildinhalts, einem szenischen Kurzbericht oder einer gelungenen Momentaufnahme gleich. Die zupackende Unmittelbarkeit beobachtenden Miterlebens auch bei vielfigurigen Kompositionen (Abb. 11), denen an anderer Stelle, wie den paddelnden Bootsmannschaften die Tendenz zur Schematisierung eigen ist, durchbricht die zeitweilige Fassade formaler Konvention, und der Künstler lässt sich quasi über die Schulter schauen. In einem thematisch bedingten Bewegungsstrom, wie bei dem kriegerischen Streifzug, der sich reliefiert über die Bildflächen der beiden Seiten einer Tüllenwandung am Gerätsaum als szenische Einheit hinzieht (Kat. Nr. 87), greift die Streitaxt eines der Männer unbekümmert über den Bildrand hinaus. Oder bei ohnehin bewegten Kompositionen vom Künstler betont eingesetzte Wechsel der Bewegungsrichtung – z. B. die einander zugewandten Köpfe einzelner Frauen, die fortlaufend aufgereiht in Bündeln auf dem Kopf sowie in Körben Ernte-Anteile zu tragen haben (Abb. 12) – bewirken Lebendigkeit des Geschehens, ohne den Bewegungsfluss zu stören. Sie verleihen der Darstellung Ereignischarakter, das Flair der Einmaligkeit und damit in gewisser Weise ein biographisch-historisches Moment.

Abb. 12
Frauen bei der Einlagerung der Ernte. Ausschnitt vom Gefässmantel eines Schatzbehälters, Shizhaishan [M 12 : 1] (Abreibung).

Bei einem Versuch, Wesenszüge der figürlichen Darstellung in der Dian-Kunst herauszuarbeiten, dürfen freilich gegenteilig wirkende, nämlich statisch ent-

Abb. 13
Motivkombination auf ge-*Dolchklinge (Fragment).*

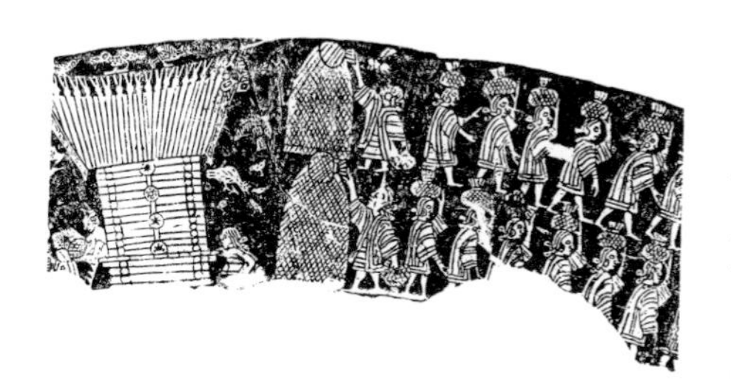

Abb. 14
Einlagerung der Ernte: Genreszene hinter den Speichern, Shizhaishan [M 12 : 1] (Abreibung).

worfene und heraldisch aufgebaute Konfigurationen, obwohl sie seltener vorkommen, nicht einfach unerwähnt bleiben. Sie finden sich z. B. auf einer weit verbreiteten Gruppe von *ge*-Dolchäxten als regelhaft wiederkehrende Motivkombination eines eigentümlichen, teils anthropomorphen, teils amphibischen Zwitterwesens (Abb. 13) (Kat. Nr. 31, 23), in dem Mensch und Tier über die wirklichkeitsspiegelnde Symbiose hinaus eine unauflösbare organische Verschmelzung erfahren haben.
In ihrem vorherrschenden Zug zu Spontaneität und Fabulierfreude lässt die unverstellte Sehweise des Dian-Künstlers mit einem augenzwinkernden Seitenblick sogar Scherzhaftes anklingen, wie etwa bei der Darstellung am Boden pikkender Hühner und Vögel zwischen Kornspeichern (Abb. 14), und stellt damit in einem weiteren Punkt anderweitige Vorerfahrungen mit der Kunst von Stammesgruppen aus vergleichbarem archaischem Kulturzustand in ihrer allgemeinen Gültigkeit in Frage. Stilistische Geschlossenheit als eine Einbindung der in denselben Medien geschaffenen Ausdrucksformen in syntaktisch verbundene Sprachgebilde – dies ist eine weitere allgemeine Erfahrung –, entspricht in der Stammeskunst zumeist einer Weltsicht und Lebenseinstellung, die durch Ordnung, Regelhaftigkeit, Verlässlichkeit als Gewähr des Fortbestandes geistig-sozialer Gemeinsamkeit angelegt ist. Einfallsreichtum, Experimentierlust, Scherzhaftigkeit, wie sie dem Dian-Künstler in freier schöpferischer Entfaltung zu Gebote standen, sind für eine frühe Stammeskultur aussergewöhnliche Anzeichen künstlerischer Reife. Die geistigen und sozialen Voraussetzungen solchen schöpferischen Handlungsspielraums zu erschliessen ist nicht einfach, aber vielleicht doch in Ansätzen möglich, wenn in thematisch vielsagenden Darstellungen überall dort, wo der Mensch handelnd beteiligt ist, das Geschehen und sein Erleben menschliche Schicksalsmomente und gemeinschaftliche Bezüge durchscheinen lässt.
Individuelle tragische Geschehnisse lösen Betroffenheit aus, wenn wiederholt Menschenleben zum Opfer wird, wie in den sicherlich zu recht mit dem Stammesbrauch der Kopfjagd gedeuteten, abgetrennten Menschenschädeln. Bei dem «Kampf aufs Messer» des von einem Tiger angefallenen Mannes mit blossem Oberkörper, als Gravierung in feinen Linien auf einer Schwertklinge von derselben Form, wie sie der Angefallene in Abwehr gegen den Angreifer führt, ist der Schock der tödlichen Bedrohung aufgefangen und ins Skurrile verwandelt durch die Attacke des Affen auf den Tiger, den er seinerseits am Schwanz gepackt hält (Abb. 15). Als individuelles dramatisches Geschehnis steht die Zeichnung künstlerisch gleichrangig neben ähnlich spannungsgeladenen Schmuckplatten in Relief, in denen sich Tiere oder Mensch und Tier mit geballter Kraft kämpferisch auseinandersetzen. In dieser Sicht wird auch das zeichnerische Ereignisbild zum Gleichnisbild für die latente Gefahr im prekären Schwebezustand ungleicher antagonistischer Kräfte.

Gemessen an der Vielzahl graphischer und plastischer Figurengruppen unter Einschluss des Menschen sind Einzelfiguren von Personen in der Minderzahl. Selbst bei den grösseren vollrunden Figuren sowohl von Männern wie von Frauen, in kniender Hockstellung auf Trommelbehältern als Träger von Ehren- oder Schutzschirmen postiert (Kat. Nr. 2, 3), handelt es sich um paarweise aufgestellte Totenwächter, die offenbar keinen direkten biographischen Bezug zur Person des Toten haben. Dem vergoldeten Reiter, erhöht inmitten einer Runde von Rindern auf dem Deckel eines Schatzbehälters (Kat. Nr. 5) wird man wohl eine Identität mit der Person des Toten mindestens in der künstlerischen Vorstellung nicht absprechen wollen, obwohl die eigenwillige Postierung der Figur noch bedeutungsvoller erscheint als eine persönliche Bezugnahme des Dargestellten zum Verstorbenen. Absichten einer andeutungsweise idealisierenden oder heroisierenden Auffassung von Einzelpersonen sind kaum eigens betont. Selbst wenn in einer von mehreren Personen ausgeführten Handlung der Rang oder die Rolle eines einzelnen - es kann Mann oder Frau sein - ihm einen markanten Platz zuweist (Kat. Nr. 25, 27), ist er im Handlungsvollzug in erster Linie Rollenträger, nicht künstlerisch hervorgehobene Persönlichkeit. Man mag diese Beobachtung als Anregung selbständig an Beispielen der Dian-Bildkunst überprüfend verfolgen und dabei noch zu weiterführenden Einsichten gelangen. Dabei wird sich auch immer deutlicher abzeichnen, dass vor allem bei der graphischen Ausführung menschlicher Figuren innerhalb von Gruppen gleichgekleideter Personen durch kleine Nüancen der Strichführung für die Gewandfalten oder etwa bei den Bootsleuten (Abb. 11) durch abweichende Gesten für die praktisch bei allen identische Handhabung der Paddel bewusst auf Bewegungsvielfalt in Gestus und Linienführung hingewirkt wurde. Eine Kennzeichnung der überragenden Persönlichkeit tritt dagegen nicht als künstlerische Zielvorstellung hervor. So paradox es klingt: individualisierende Gestaltungsmittel führen nicht zur Gestaltung des Individuums als Persönlichkeit. Die einzelne Figur erscheint austauschbar.

Dennoch wäre es unzutreffend, den dargestellten Personen in der Bildkunst von Dian jede Identität abzusprechen. Die Männer beziehen die Identität des Stammesangehörigen von Dian, wie real bei ihrer Bestattung, in den Darstellungen durch die Art und Weise, eine Gürtelschmuckscheibe auf der Taillenmitte zu tragen (Kat. Nr. 47, 50). Sogar in der durchbrochen gearbeiteten Runde der im Reigen verbundenen Männer als figürlicher Umrandung einer solchen Schmuckscheibe (Kat. Nr. 20) ist sie für einzelne Tänzer auszumachen. Über diese durch die Dian-Funde ganz allgemein zu verfolgende Kennzeichnung des männlichen Stammesgenossen hinaus gibt es aber weder in Kleidung, Haartracht oder in weiteren Schmuckformen des Mannes oder denen der Frau Anzeichen dafür, dass persönliche Identität in einer Aufgabe, Rolle oder Würde gesucht worden wäre. So bezeugt zwar der Fund des mit dem Namen des Königs

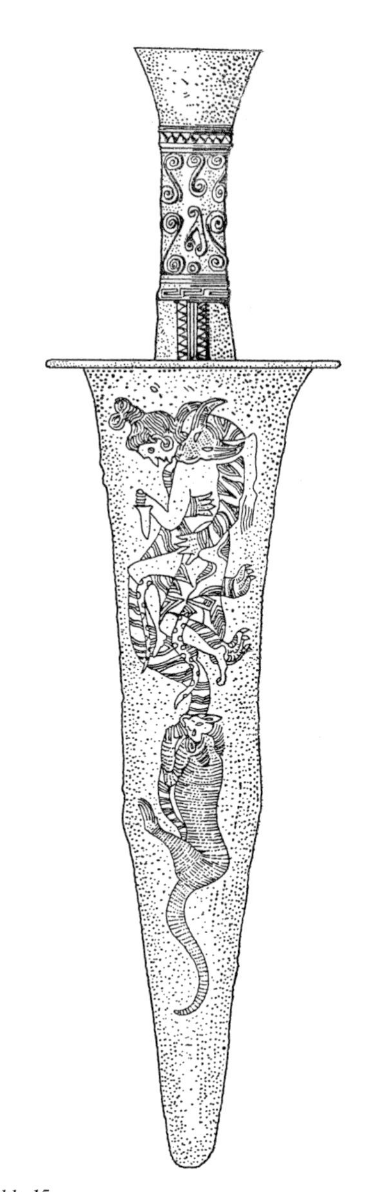

Abb. 15
Schwertklinge mit eingravierter Kampfszene, Shizhaishan [M 13 : 172].

Abb. 16
Schlachtopferszene auf einer Trommelwandung. Fundort Azhang, Yünnan (Abreibung).

von Dian gezeichneten Siegels (Kat. Nr. 92) die Existenz eines solchen Königs, und eine zeitgenössische Geschichtsquelle spricht von den Dutzenden Häuptlingschaften um den See von Dian, aber welche künstlerische Vorstellung man sich von Fürsten und Häuptlingen machte, bleibt uns verborgen.
Nach Zahl und Gewichtung uneingeschränkt beherrschend in der Figurendarstellung, soweit es um den Menschen geht, sind die Gemeinschaftshandlungen, an denen Frauen und Männer gleicherweise beteiligt sind, auch bei den vom Alltäglichen abgehobenen festlichen und rituellen Akten. Bei den Opferhandlungen von Rindern dominieren die Männer: das Geschehen auf den plastisch figürlichen Schmuckplatten (Kat. Nr. 82, 83) wird auf dem anschaulichen Gegenbeispiel vom Mantelfries der Trommel aus Azhang im östlichen Yünnan (Abb. 16) mit der unmittelbar bevorstehenden Tötung eines am Opferpfahl angebundenen Rindes ergänzt durch die begleitende Ritualhandlung der von zwei Männern ausgeschöpften Trankspende. Dass für Fest- und Opferhandlungen neben Musik und Reigentanz, wie bei den vier zusammengehörenden Figurinen (Kat. Nr. 14), auch die Austeilung von Trankspenden wesentlicher ritueller Bestandteil war, belegt die Bildkunst mehrmals. Auf einer in zwei konzentrischen Ringen ausgelegten Festszene vom Deckel eines trommelförmigen Behälters aus Shizhaishan (Abb. 17) sitzen im inneren Fries die Musikanten, mit Handtrommel und Kesseltrommel, am Boden, im äusseren Fries bewegt sich eine Gruppe von Frauen im Schreittanz, einer anderen kommt hier das Ausschöpfen der Trankspende mit der Kelle aus einem hohen Kessel in die zur Libation bestimmten Opfergefässe zu.
Die hier und auf anderen Darstellungen von den Männern angelegte Zeremonialtracht wird gekennzeichnet durch das um die Hüften geschlungene und lang nachschleppende Tierfell und vor allem durch aufgesteckte Federn oder eine breite Federkrone als Kopfputz, die allerdings innerhalb der Dian-Bildkunst selbst im Vergleich zum Erscheinungsbild auf Bronzetrommeln ausserhalb von Dian nur eine untergeordnete Rolle spielt. Im gleichartigen Aussehen – manchmal kann man wie bei der Runde von Männern auf dem Gefässdeckel (Abb. 18) sogar eine Maskierung annehmen –, im gemeinsamen Auftreten und im gleichsinnigen Agieren geht die Identität des einzelnen völlig im Vollzug der Handlung auf.
Es spricht vieles dafür, dass ein den Toten geweihtes Fest der Anlass zu dem gemeinschaftlichen rituellen Handeln war und dass die Verpflichtung gegenüber den Toten letztlich auch den Anstoss für die auf Solidarität der Gemeinschaft abzielende Bildkunst gab, obwohl sie viel eher aus ungebrochener Vitalität geboren scheint, als einem *memento mori* Stimme und Ausdruck zu leihen. Auch aus archäologischer Sicht lässt sich der scheinbare Widerspruch nicht dadurch auflösen, dass sich etwa Zeugnisse des vitalen künstlerischen Gestaltungswillens auf eine andere Gruppe von Gräberinventaren zurückführen lies-

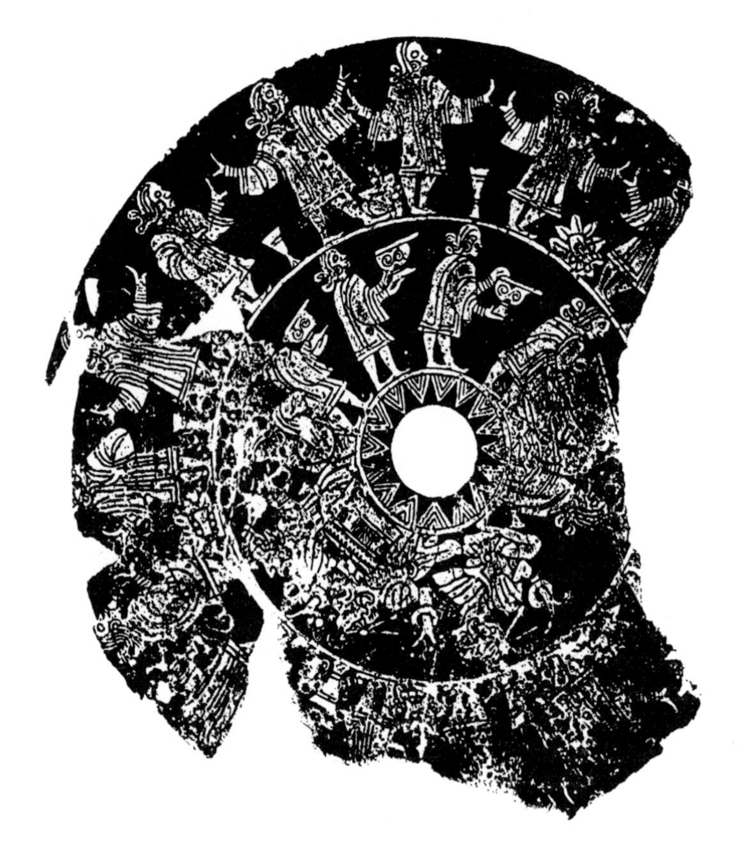

Abb. 17
Festszene mit Musikanten, Tänzerinnen und Darbringung eines Trankopfers, Shizhaishan [M 12 : 2] (Abreibung).

sen als die für rituelle Funktionen bestimmten und sozial verpflichtenden, wie sie gegenständlich in den Gräberinventaren dem Gemeinschaftsbezug festlich-ritueller Darstellungen direkt entsprechen. Vielmehr erweist sich, dass auch in Hinsicht auf künstlerische Vielfalt und Intensität der Ausdrucksmittel die durch ihr Volumen im obigen Sinne ausgezeichneten Gräberinventare an der Spitze stehen. Weitere Gräber innerhalb derselben Gruppe standen viel unmittelbarer unter dem Einfluss zündender künstlerischer Ideen und legen, wie z. B. das Grab M 13 in Lijiashan (Kat. Nr. 75, 84), Zeugnis ab von einer ausgeprägten Würdigung künstlerischer Spitzenleistung. Aber die Reichweite künstlerischer Impulse war nicht so gross, dass sie auch die weiteren Gruppen von Dian-Gräberinventaren ausserhalb der grösseren Zentren erreicht und zu wirklichen Eigenleistungen der Bildkunst befähigt hätte.

Abb. 18
Feierlicher Aufzug maskierter Tänzer. Gefässdeckel eines Schatzbehälters, Shizhaishan, Kat. Nr. 16 (Abreibung).

Gräberverband, Siedlungseinheit und Kultgemeinschaft: persönliche Totenausstattung und rituelle Verantwortlichkeit

So wenig wie in der differenzierten Verteilung künstlerischer Qualität sind die Dian-Gräber hinsichtlich der sozialen Verbindlichkeiten, in denen die Toten standen, eine amorphe Masse. Zwar ist die politische Beziehung nach aussen, vor allem zum zeitgenössischen Han-China, durch die auch historisch überlieferte Verleihung eines kaiserlichen Siegels an den König von Dian nach der Befriedung der Stammesgruppen im Südwesten gegen Ausgang des 2. Jahrhunderts v. Chr. festgelegt, aber die Verhältnisse im Lebensraum der Dian-Stammesgruppe oder -gruppen selbst tauchen erst langsam durch die Auswertung des archäologischen Fundbestandes in klareren Umrissen hervor.

Die erste grössere Fundeinheit in Shizhaishan, die auch ein königliches Siegel einschloss, liess nie Zweifel daran aufkommen, dass dies die Königsnekropole sei. Tatsächlich qualifizierten sich eine ganze Reihe weiterer Gräber im selben Verband mit generell vergleichbarem Volumen durch Umfang und Charakter der Beifunde für einen Spitzenrang, während die weniger inhaltsreichen Gräber erst im Lauf der Zeit durch Parallelfunde an anderen Orten begannen, ihr eigenes Profil zu entwickeln. Das Repertoire an Waffen, Gerät und Schmuckformen erwies sich als generell gleichartig, auch das favorisierte Kompositschwert fand sich bei Gruppen wieder, die, wie in Taijishan im Westen des Dian-Sees, auf der Basis einer lokal begrenzten Keramiktradition einer mehr pragmatisch orientierten dörflichen Siedlungsgemeinschaft zugerechnet wurden. Aus der Diskrepanz im Volumen der Grabausstattungen sprach offensichtlich eine soziale Differenzierung und eine organisatorische Abhängigkeit, soweit man annehmen durfte, dass die rituellen Obliegenheiten, für die es keine lokalen Anzeichen gab, von anderer Stelle aus - vielleicht unmittelbar vom fürstlichen Stammeszentrum aus - wahrgenommen wurden.
Dies einfache Erklärungsmodell komplizierte sich, als ein Jahrzehnt später - etwa einen guten Tagesmarsch von Shizhaishan entfernt - ein weiteres Gräberfeld bei Lijiashan mit 27 ebenfalls grösstenteils intakten Gräbern aufgedeckt wurde (Abb. 9), von denen einige den reichsten der Königsnekropole an Volumen kaum nachstanden. Nur ein Privileg haben mehrere der Shizhaishan-Gräber nach wie vor unbestritten inne, nämlich Beigaben aus Gold oder mit Vergoldung geborgen zu haben, die bisher an keiner anderen Fundstelle der Dian-Kultur eine Parallele fanden. Im übrigen ist das kulturelle Erscheinungsbild in Lijiashan dasselbe, aber weder faktisch für die Herstellung einheimischer Handwerksprodukte noch ideell für diesen oder jenen künstlerischen Entwurf ist eine Abhängigkeit vom Fürstensitz zwingend nachweisbar, dessen anfängliche angenommene Monopolstellung in kulturprägender Hinsicht damit in Frage gestellt wird. Eine Aussage über die historisch zu vermutende politische Oberhoheit der in Shizhaishan (oder in dessen Nähe) residierenden Stammesfürsten über ihre Gegenspieler in Lijiashan lässt die gegenwärtige Fundsituation nicht zu.
Ein Führungsrolle in rituellen Obliegenheiten, deren Wirkungsbereich über die örtliche Siedelgruppe hinausging, hat sicherlich in Lijiashan der Personenkreis eingenommen, dessen Grabausstattung durch die Mitgabe von rituellem Gerät vor anderen ausgezeichnet war. Dazu zählen einmal Klangkörper, z. B. ausser den Trommeln auch die Resonanzkörper von Mundorgeln (Kat. Nr. 10, 11), ferner die nach Form, Fassungsvermögen und Ausgestaltung für zeremoniellen Gebrauch bestimmten Schöpf- und Weingefässe (Kat. Nr. 18, 19, 21, 22), wie sie ähnlich auch in den bildlichen Darstellungen von Opferhandlungen vorkommen (Abb. 17). Dass sowohl Frauen wie Männern eine gleichberechtigte

Mitwirkung bei den rituellen Handlungen zukam, wie die Bildszenen bezeugen, belegt hier noch klarer als zunächst in Shizhaishan erkennbar war, die Mitgabe der als rituell angesprochenen Gerätschaften jeweils in mehreren Gräbern mit stattlichem Volumen, die durch ihr Gebrauchsinventar, nämlich Waffen auf der einen und Web- und Nähutensilien auf der anderen Seite, entweder als Männer- oder als Frauenbestattungen zu klassifizieren sind.

Ausgehend vom Verteilungsmodus der Ritualgeräte, die innerhalb der Gräbergruppe einer exklusiven kleineren Anzahl von Bestattungen vorbehalten waren, ist es zulässig, von familiären Privilegien zu sprechen, die mit rituellen Aufgaben einhergingen. Dass diese über die Familiengruppe hinaus einer grösseren Gemeinschaft zugutekamen, ist nicht anzuzweifeln. Zu der daran teilhabenden Gemeinschaft zählten mit grosser Wahrscheinlichkeit ausser den Anwohnern der gleichen Siedlung, die ihre Gräber neben denen der führenden Familien erhielten, auch weitere Gruppen in der Nachbarschaft, wie etwa die in einem nur 3 km westlich vom Lijia-Berg erfasste von Tuanshan mit elf kleinen Gräbern und weiteren Streufunden. Deren Inventar insgesamt ist weder ärmlich noch künstlerisch reizlos; es fügt sich ohne Ausnahme dem grösseren Gesamtbestand der Dian-Funde unauffällig ein und zeigt keinerlei Neigung zu Eigenständigkeit im künstlerischen Entwurf, die in Lijiashan auch gegenüber der königlichen Nekropole sehr ausgeprägt war, wie z. B. in dem tiergestaltigen Opferschemel (Kat. Nr. 1). Mit dem Fehlen jeglichen rituellen Zubehörs in dieser Gräbergruppe, wie vorher schon in Taijishan und seither bei weiteren Dian-Fundplätzen, zeichnet sich eine rituelle und zugleich künstlerische Schwerpunktbildung ab, die für die innere kulturelle Lebendigkeit der Region entscheidende Impulse gegeben haben muss.

Nicht nur zahlenmässig sind die 117 Gräber der ersten und weitere 65 Gräber einer zweiten Kampagne bei dem Dorf Shibeicun 2 km südlich der Kreisstadt Chenggong im Gesamtbild der Dian-Funde auffällig. Anders als in den beiden grösseren Nekropolen mit ihren Einzelgräbern ganz verschiedenen Ausmasses und in einer locker gegliederten Gruppierung mehr randlich liegender kleinerer um die Gräber mit grösserem Umfang mehr in der Mitte tritt uns hier ein umfangreiches Einheitsgräberfeld entgegen. Der einheitliche Eindruck gründet sich auf die gleichartig langrechteckigen Erdgruben mit nahezu gleichen Abmessungen, jeweils zugeschnitten auf den Raumbedarf einer Einzelbestattung in ausgestreckter Lage, ohne zusätzlichen Raumaufwand für Grabmobiliar oder reichlichere Beigaben. Dieser Eindruck wird noch unterstrichen durch die Anordnung der Gräber, meist parallel zueinander in Reihen oder Serien, bei engen Abständen und nur geringen Abweichungen von einer gemeinsamen Grundausrichtung nach Nordost. Der vorherrschende Eindruck, dass dieses Gräberfeld ohne Ansehen der Person, also ohne bestimmende Keimzellen, kontinuierlich gewachsen sei, wird auch von den gelegentlichen Überlage-

rungen einzelner Gräber eher verstärkt als gestört. Die daraus resultierenden Beobachtungen einer relativen zeitlichen Abfolge früherer und späterer Beisetzungen führen in archäologischer Konsequenz zu einer gewissen Abwandlung im Formenbestand der Inventare. Zugleich verändert sich das insgesamt moderate Beigabenspektrum zugunsten neuer Fundkategorien und Werkstoffe. Die traditionellen Bronzewaffen und -arbeitsgeräte, viele davon mit denselben Ziermustern wie im Repertoire der tonangebenden Nekropolen, werden abgelöst von Kompositgeräten in verschiedenen Spielarten und von Gebrauchsformen ganz in Eisen, darunter auch das in Bronze seltenere (Kat. Nr. 60) halbmondförmige Erntemesser. Vor allem gibt es in einer Reihe solcher jüngerer Inventare, ohne dass sie durch sonstige aufwendige Begleiterscheinungen auffielen, Münzfunde Han-chinesischer Herkunft. Sie enthalten zwischen zehn bis fünfzig Münzen, die eine verlässliche zeitliche Verknüpfung mit den kaiserlichen Regierungsphasen von Mitte bis Ende der Frühen Han-Zeit erlauben. In einem Fall verrät auch der Beifund eines Gürtelhakens aus Bronze, wie er zur männlichen Kleidung der Frühen Han-Zeit gehört (vgl. a. Kat. Nr. 98) eine Beeinflussung in der Mode von aussen her. Im allgemeinen hält jedoch die Trachtsitte für die mit den traditionellen Waffen versehenen Toten an der Gürtelschmuckscheibe fest und charakterisiert damit bewusst ihre Zugehörigkeit zum Stammesverband von Dian. Die soziale Position der hier gemeinsam Bestatteten sieht der Autor Hu Shaojin innerhalb dieses grösseren Stammesverbandes als die des einfachen Volkes an.
Gewiss ist generell für jedes Gräberfeld damit zu rechnen, dass ein Teil der Gräber verlorenging und von den Archäologen nicht erfasst wird – zumal ja überall zusätzliche Streufunde aus zerstörten Gräbern geborgen wurden. Dennoch ist in diesen wie in anderen Fällen der verbliebene Bestand als Ausschnitt repräsentativ für eine hier in dichter Generationenfolge eng zusammengehörende Bevölkerung. Sie vertritt, wie aufgrund der oft nahe beieinander liegenden Gräbergruppen angenommen werden darf, jeweils den lokalen Zusammenschluss eines Sozialverbandes, wohl die Dorfgemeinschaft einer Siedlung.
Auf die Gesellschaftsverfassung der angenommenen Siedlungseinheit übertragen, wirkt das einheitliche Bild der Gräber und das eingeschränkte Volumen der Grabinhalte wie die Spiegelung egalitärer Ordnungsvorstellungen. Damit setzt es sich augenscheinlich zu dem Bild in Widerspruch, das übereinstimmend die geschichtliche Quelle, die von vielen Häuptlingschaften der Dian-Bevölkerung spricht, und die grösseren Nekropolen mit der deutlichen Aufgliederung der nach Volumen beträchtlich schwankenden Grabinventare vermitteln. Als Motivation für die unterscheidende Wertzumessung bei der Auswahl der Grabbeigaben für den einzelnen Toten wird man zustimmend annehmen dürfen, dass ein Wertgefühl für gesellschaftliche Würde sich in einem differenzierenden Bewusstsein vom Rang des Bestatteten artikulierte.

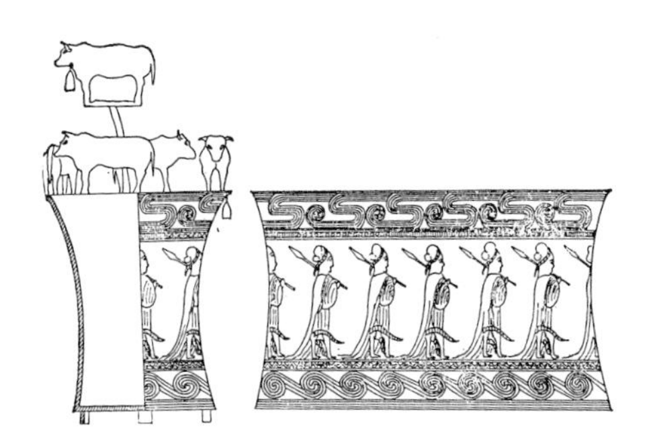

Abb. 19
Deckelziste mit Figuren in Zeremonialtracht, Tianzimiao [M 33 : 1].

Angesichts des für die Dian-Gräber insgesamt recht starken Gefälles im Volumen der Grabinventare zwischen solchen königlichen Ausmasses in Shizhaishan und denen des Friedhofs Shibeicun verwundert es aufs neue, dass in den Bilddarstellungen die unmissverständliche Personenhierarchie, die im Gesellschaftsaufbau diesem Gefälle entspräche, gar keine Rolle spielt. Wenn Einzelpersonen wie z. B. die Herrin in einer plastisch ausgeführten feierlichen Opferungs- und Huldigungsszene (Kat. Nr. 25) den zentralen Bezugspunkt bilden, oder Reiter gegenüber ihren Begleitern zu Fuss mit grösserem Ansehen auftreten, dominieren sie zwar thematisch im jeweiligen Handlungsablauf; sie haben aber keine wirklich abgestuft fixierten wiederkehrenden Merkmale ihrer sozialen Würde, die Rangabzeichen gleichkämen. Dass dagegen menschliche Opfer in verschiedener Gestalt (z. B. Kat. Nr. 89) in die Darstellung einbezogen werden, muss nicht bloss als das gewaltsame Ende von Rechtlosen oder Sklaven aufgefasst werden; es kann im Nachvollzug kulturanthropologischer Erkenntnisse auch gemeint sein als ein Darbringen intensivster Lebenspotenz in der Form menschlichen Lebens. Unter den jeweils aktiv Beteiligten bei figurenreichen Darstellungen sind als sklavisch würdelos wiedergegebene Personengruppen nicht auszumachen. Das Bild wird bestimmt von Handlungen in Gemeinschaft, die gleichrangig ausgezeichnete Handlungsträger mit unterschiedlichen Funktionen ausführen. Darin ist die Ausdeutung der künstlerischen Aussage unmittelbar im Einklang mit dem archäologischen Befund von Shibeicun.

Die Abrollung vom Mantel einer Deckelziste mit eingezogener Wandung (Abb. 19) scheint in ihrer Figurenreihe von sechs Männern in Festtracht und mit geschulterter Lanze den Gleichtakt der Reihengräber bildlich zu wiederholen. Das Fundstück gehört in das Inventar eines mittelgrossen Grabes (M 33) aus der lokalen Führungsgruppe in dem nur wenige Kilometer von Shibeicun gelegenen, jüngst publizierten Fund von Tianzimiao. Beherrscht wird er von dem überdurchschnittlich grossen und inhaltsreichen Grab M 41 im Zentrum, um das sich, einem Zellengefüge vergleichbar - also grundverschieden vom nahen Shibeicun – mehr als 40 weitere Gräber unterschiedlichen Volumens lose ordnen.

Wenn innerhalb der Dian-Grabfunde eine gewisse, durch die Bestattungen zum Ausdruck gebrachte Ranghierarchie der sozialen Wechselbeziehungen gesucht wird, dann scheint hier ein Beweisfund dafür vorzuliegen. Für eine Beurteilung ihrer internen Verhältnisse kann daher die Bedeutung des Neufundes nicht hoch genug veranschlagt werden. Mit seiner im Volumen stärker differierenden Führungsgruppe bildet er nur bedingt eine Parallele zu der von Lijiashan, die ja betont zwischen männlichen und weiblichen Elitegräbern ritualisierter Prägung unterscheidet. Demgegenüber wurden im zentralen Grab M 41 die «weiblichen» Webgerätschaften in der zum Behältnis umgewendeten Trommel verwahrt, dazu noch mehrere der in diesem Fall unverzierten aber in Lijiashan stets funktional *in situ* vorgefundenen und tierfigürlich ausgestalteten Kopfbänkchen (Kat. Nr. 4), während durch zahllose Waffen aller Gattungen das Inventar eindeutig als männlich charktarisiert wird. Mit diesem umfassenden Sich-Einverleiben nimmt es einen über-persönlichen Charakter an, wie ihn auf ähnliche Weise in Shizhaishan auch das an Beigaben-Kategorien inhaltsreichste Grab M6 (Abb. 22) als Sammelbecken aller für diesen Gräberverband massgeblichen Erscheinungen zur Schau stellt.

Abb. 20
Streitaxt ungewöhnlicher Zierform, Tianzimiao [M 41:147].

Der Spitzenrang beider wird noch verstärkt durch die Beobachtung, wie anspruchsvoll beide Inventarbildungen die an Originalität und Qualität überragenden künstlerischen Leistungen an sich ziehen, in Tianzimiao noch exklusiver und konzentrierter als in Shizhaishan, z. B. mit einem bisher einzigartigen Beispiel einer Streitaxt (Abb. 20). Anders stellt sich im Vergleich dazu die Situation in Lijiashan dar, denn zum einen sind einzigartige künstlerische Leistungen hier auch in Grabinventare ausserhalb der rituell geprägten Führungsgruppe gelangt (Kat. Nr. 75, 84), und zum andern erhebt keines der sieben als rituell gekennzeichneten Inventare den Anspruch, als Sammelbecken aller lokal verwendeten Beigabenarten für den gesamten Gräberverband repräsentativ zu sein.
Noch deutlicher als sich dies zunächst in Shizhaishan und dann in Taijishan abzeichnete und sich nun mit den jüngeren Belegungsphasen im Reihengräberfeld von Shibeicun parallelisieren lässt, tritt bei der vollständigen Analyse der Gräberinventare von Lijiashan eine Gruppe von Gräbern hervor, deren Inventarzusammensetzung in beabsichtigtem Kontrast zur Ritualisierung eine Alternative anstrebte. Sie basiert auf derselben Grundausstattung für den Dian-Stammesgenossen, hat aber nur wenig Anteil an künstlerischen Sonderleistungen und profiliert sich stattdessen durch die Beigaben von Eisen- und von Kompositwaffen und -geräten sowie von Han-chinesischem Einfuhrgut. Anders als in Shibeicun schliesst dies ausser Münzen auch Bronzespiegel, Waffen, wie das Armbrustschloss mit chinesischer Inschrift (Kat. Nr. 46), und Gefässe chinesischen Typs ein.
Eine qualitative Wertung der einen gegenüber der anderen Art der Inventarbildung vorzunehmen, wäre unangebracht. Beide haben ihre Eigenwertigkeit und ergänzen sich wechselseitig innerhalb des zusammengehörenden Gräberverbandes wie ideell im dahinterstehenden Sozialverband. Diese einander stützende und ergänzende ideelle und soziale Wechselbeziehung lässt sich analog auch auf die beiden einander benachbarten Gräberverbände von Shibeicun, das keine ritualisierten Gräberinventare einschloss, und Tianzimiao, dem keine mit alternativer Orientierung angehörten, übertragen. Wie weit von Seiten der privilegierten Familien oder Stammesführer mit rituellen Funktionen nicht-kultische Verantwortlichkeiten an andere selbständig organisierte Gruppen, z. B.

mit militärischen Gardefunktionen, delegiert wurden, und wie weit umgekehrt solche alternativ koordinierten Einheiten Anrechte hatten auf Mitbeteiligung im Vollzug oder doch auf Teilhabe an den existenzsichernden Auswirkungen von Handlungen in grösseren Kultgemeinschaften, erweist sich damit als ein Problemfeld, in dem die archäologische Diskussion noch mit Gewinn weiterzuführen ist.

Wie sich in jüngster Zeit immer deutlicher zeigt, ist die zeitliche Geschlossenheit der Gräber ritualisierten Gepräges und der mit egalitärem Charakter dichter und ihre komplementäre Koexistenz damit wahrscheinlicher als lange angenommen. Zugleich ist die Blütezeit der lokalen Bildkunst von Dian kurzlebiger und intensiver, aber andererseits nach archäologischem Zeugnis aufs engste verbunden mit einer Einstellung, die sowohl in der bildlichen Darstellung wie bei Auswahl und Aufstellung des Grabgutes den rituell verankerten Handlungen und Ordnungen grösste Bedeutung beimass. Über das Erlöschen der Dian-Kultur und ihrer vitalen Bildkunst hinaus hat die Einbindung vieler einzelner Kulturzüge in ein gleichartiges Grundmuster geistiger Einstellung und sozialer Verhaltensweisen den Fortbestand verwandter Kulturtraditionen bewirkt, wie sie wohl ihrerseits schon den Mutterboden bildeten, in den die Dian-Kultur mit ihren Wurzeln tiefer zurückreichte. Sie nach und nach aufzudecken, verspricht der chinesischen Archäologie noch manche reizvolle Aufgabe.

Schätze für die Toten

Grabmobiliar und Schatzbehälter

1
Niedriger Ritualtisch in Gestalt eines Rindes, das von einem Tiger angefallen wird
Späte Chunqiu-Periode,
ca. 6. Jh. – frühes 5. Jh. v. Chr.
Bronze, H. 43 cm, L. 76 cm
1972 ausgegraben in Lijiashan, Jiangchuan
[M 24 : 5]

Dieses höchst ungewöhnliche und bisher ohne jede Parallele dastehende Werk dürfte nach Ansicht der chinesischen Archäologen als Ritualtisch für Speiseopfer angefertigt worden sein. Man fand es in Grab Nr. 24, dem grössten der 27 in Lijiashan untersuchten Gräber, in einer Ecke neben einer Bronzetrommel zusammen mit Rüstungsfragmenten und Speerspitzen, und man zog daraus den naheliegenden Schluss, es könne einem der Dian-Herrscher als Kultgerät in einer mit der Kriegsführung in Verbindung stehenden Opferzeremonie gedient haben.

Bei aller harmonischen Formgebung im Detail hinterlässt dieses Meisterwerk der Bronzekunst auf den ersten Blick einen seltsam verwirrenden Gesamteindruck, der zweifellos auf dem hybriden Charakter des Hauptteils beruht. Dieser besteht aus dem Vorderteil eines Rindes mit wuchtigem Nacken und weit ausladenden Hörnern und aus den Hinterbeinen, die unten in der Längsrichtung durch je einen Steg miteinander verbunden sind, während oben anstelle des Rückens eine flache, leicht konkave Platte die Überbrückung schafft. In dem dadurch entstehenden Hohlraum unter der schalenähnlichen Rückenpartie der Hauptfigur steht quer zur Längsachse die vollplastische Gestalt eines kleineren Rindes; es scheint, als habe es sich in die schützende Obhut des grossen Rindes begeben, das seinerseits von einem Raubtier angefallen wird. In spannungsgeladener Bewegung und mit gestrecktem Hinterleib ist ein von hinten angreifender Tiger am Rind emporgesprungen und hat sich in dessen Schwanz festgebissen.

Er bildet in jeder Hinsicht einen dynamischen Kontrapunkt zu dem von der Attacke unbeeindruckt scheinenden, ruhigen Rinderkopf, der sich durch eine kraftvolle, weiche und geschmeidige plastische Modellierung auszeichnet und dabei einen hohen Grad naturalistischen Gestaltungsvermögens verrät. Kontrastierend wirkt ferner die glatte Oberfläche des mächtigen Rinderleibes gegenüber den linearen, offenbar die Streifen des Tigerfells in abstrahierender Ornamentalisierung andeutenden Schraffurbändern am Körper der eleganten Raubkatze. Insgesamt hinterlässt diese grossartige Tierplastik dank ihrer künstlerisch sensibel proportionierten Gewichtsverteilung namentlich in der Seitenansicht den Eindruck spannungsreicher Ausgewogenheit.

Das Werk wurde in mehreren Stücken gegossen und anschliessend zusammengefügt; es weist an manchen Stellen sichtbare Gussnähte sowie kleinere Reparaturen auf und hat eine gleichmässig grüne Patina. Die gusstechnisch-handwerkliche Perfektion zeugt von dem hohen Niveau, das die Dian-Bronzekunst bereits in früher Zeit erreicht hatte.

Dieses vielleicht bedeutendste bis heute in der Provinz Yünnan entdeckte, einzigartige Meisterwerk gibt uns eine Ahnung von der eigenwilligen Schöpferkraft des Dian-Volkes, und selbst wenn ähnliche Tierkampfmotive in dessen Vorstellungswelt eine prominente Rolle gespielt haben und in dem bisher gesicherten vielfältigen archäologischen Material immer wieder anzutreffen sind, lassen sich über eine generelle kultisch-rituelle Zuordnung dieses Objekts hinaus einstweilen keine spezifischeren Erklärungen zur Funktion und Ikonographie geben.

1

2

2
Bronzeschirm,
von einem stehenden Rind bekrönt
Zhanguo-Periode (481–222 v. Chr.)
Bronze, H. 16,5 cm, D. 43,2 cm
Gewicht 2,37 kg
1972 ausgegraben in Lijiashan, Jiangchuan
[M 23 : 18]

Auf dem kuppelartig gewölbten Bronzeschirm steht die vollplastische Figur eines Rindes. Eine profilierte Parallelschraffur belebt die Standfläche. Der Rand des Schirms ist von einem Dekorband mit Gittermuster verziert.
Das Objekt wurde von den Archäologen unter jenen Grabbeigaben entdeckt, die sich unmittelbar neben dem Kopf des Bestatteten befanden. Könige und hohe Beamte des Altertums haben auf ihren Inspektionsreisen unter Schirmen Schutz vor der Sonne gesucht. Auf ähnliche Weise dürften derartige Bronzeobjekte als eine Art Ehren- oder auch Schutzschirm gedient haben. Jedenfalls befanden sich *in situ* noch Reste von Holzstäben in den halbkreisförmigen Öffnungen des an der Rückseite angebrachten Fortsatzes. Diese Stäbe dienten zweifellos zur Aufstellung des Schirms, der als eine Art Baldachin den Kopf des Bestatteten zu beschützen hatte.

Beispiel eines vollständig erhaltenen Schirmträgers aus Shizhaishan [M 20 : 2]

3

Kauernde männliche Figur

Mitte der Westlichen Han-Dynastie,
ca. 150–50 v. Chr.
Bronze, H. 27,5 cm, B. 9,5 cm
Gewicht 3,51 kg
1956 ausgegraben in Shizhaishan, Jinning
[M 18 : 1]

Diese aussergewöhnlich grosse, vollrunde Plastik zeigt einen Angehörigen des Dian-Volkes in hockender Stellung. Die runde Schmuckplatte auf dem Bauch sowie das an der Seite hängende Schwert kennzeichnen die Figur als Mann. Die nach vorn gestreckten Hände dürften ursprünglich den Schaft eines Bronzeschirms (Kat. Nr. 2) umschlossen haben. Das lange Haar ist kunstvoll zu einem Knoten hochgebunden. An den Ohren hängen schwere Ringe, und über die Schultern ist ein Umhang gelegt, der mit Tiermotiven verziert ist. Um den Hals trägt der Mann eine Kette aus aufgereihten Perlen, und beide Handgelenke werden von Ringen (Kat. Nr. 54) geschmückt, die an Jade-*bi* erinnern. Um die Hüfte ist ein Tuch geschlungen, und die Unterschenkel sind mit einem breiten Band umwickelt. Die rudimentär gestalteten Füsse sind unbekleidet.

3

4

4
Kopfstütze
Zhanguo-Periode (481–222 v. Chr.)
Bronze, H. 15,5 cm, B. 10,6 cm, L. 50,3 cm
Gewicht 5,28 kg
1972 ausgegraben in Lijiashan, Jiangchuan
[M 17 : 12]

Die elegant geschwungene Kopfstütze besitzt zwei hoch ausgreifende Wangen, deren Scheitel von einer stehenden Rinderfigur bekrönt sind. Die Schauseite ist mit Spiralmustern und Tierkampfszenen geschmückt. Drei Rinder werden von je einem Tiger angefallen.
Die künstlerische Ausarbeitung des Objekts zeigt drei verschiedene Reliefebenen. Das Spiralmuster ist in flachen, leicht profilierten Linien ausgeführt. Die von den Tigern angegriffenen Rinder erscheinen in Hochrelief, und die an den Enden der Kopfstütze aufgelöteten Rinderfiguren schliesslich sind voll ausgebildete Rundplastiken.
Kopfstützen dieser Art hat man ausschliesslich in Gräbern königlicher oder hochgestellter Persönlichkeiten gefunden. Bei der Bestattung dienten diese Objekte als Stütze für den Kopf, wobei die dekorierte Seite jeweils vom Toten abgewendet, nach aussen gekehrt war.
Zur Ausstattung der beiden während der Westlichen Han-Dynastie (Ende des 2. Jh. v. Chr.) errichteten Grabanlagen des Prinzen Jing von Zhongshan, Liu Sheng und seiner Gemahlin Dou Wan, in Mancheng, Hebei, gehörten ebenfalls Kopfstützen. Diese mit Jade eingelegten Stützen weisen eine gewisse Ähnlichkeit mit denjenigen der Dian-Kultur auf.

5

Schatzbehälter, dekoriert mit vier Rindern, einem goldenen Reiter sowie zwei Henkeln in Gestalt von Tigern

Mitte der Westlichen Han-Dynastie, ca. 150–50 v. Chr.
Bronze, teilweise vergoldet
H. 50 cm
1956 ausgegraben in Shizhaishan, Jinning
[M 10:53]

Der prachtvolle Behälter mit dem goldenen Krieger diente zur Aufbewahrung von Kaurischnecken. Diese benützte das Dian-Volk als Währung; sie bedeuteten Reichtum und wurden daher häufig den Verstorbenen mit ins Grab gegeben.
Der Querschnitt des Gefässes ist rund und an der leicht eingezogenen Leibung sind zwei vollplastische, nach oben steigende Tiger als Henkel befestigt. Der Schatzbehälter ruht auf drei kurzen Beinen. Der flache Deckel ist mit vier rundplastischen Rindern verziert, die in der Mitte überragt werden von einer Reiterfigur, die auf einer sockelartigen Plattform steht. Der sich leicht nach vorne neigende Oberkörper des goldenen Kriegers ist mit einem kurzärmeligen, leichten Gewand bedeckt, das weit ausladend über den Sattel fällt. Die Hose liegt eng an den Beinen; die Füsse sind nackt. Das lange Haar ist zu einem Knoten zusammengebunden, und ein prachtvoll verziertes Schwert ist an die linke Seite gegürtet.
Die Rinder mit gewaltigen, ausladenden Hörnern und kraftvollen Nackenpartien gehören zu einer Rasse, die heute in Zentral-Yünnan, dem ehemaligen Gebiet der Dian, völlig verschwunden ist. Gelegentlich begegnet man diesen Tieren noch in den südlichen Randgebieten der Provinz Yünnan. Die in der Bronzeplastik der Dian häufig anzutreffende Rinderrasse ist heute vor allem ausserhalb Chinas, insbesondere in Indien, verbreitet. Diesen majestätischen Tieren muss in der Dian-Kultur eine besondere, auch kultische Bedeutung zugekommen sein, die weit über ihre wirtschaftliche Funktion als Nahrungslieferant oder als Sinnbild für Reichtum hinausweist.

6

Sarkophag in Hausform

Frühe Zhanguo-Periode, ca. 5. Jh. v. Chr.
Bronze, H. 82 cm, B. 62 cm, L. 200 cm
Gewicht 257,1 kg
1964 ausgegraben in Dabona, Xiangyun

Dieser in West-Yünnan weit entfernt vom Zentrum der Dian-Kultur gefundene Bronzesarg in Form eines Langhauses besitzt einen rechteckigen Boden, an dessen Unterseite 12 fussähnliche Zapfen angebracht sind; diese dürften zur Verankerung des Hausmodells auf einer Basis gedient haben. Der Sarkophagdeckel, der die Form eines Satteldachs mit vorkragenden Dachsparren besitzt, ist abnehmbar und mit Hilfe eines Zapfen-und-Ösen-Systems auf dem Unterbau gesichert.
Kontrastierende Flachrelieformamente schmükken im Verein mit figürlichen Dekormotiven die Aussenwände: an den Längsseiten lassen sich in fortlaufend aneinandergekoppelten gegenläufigen Volutenbändern feingliedrige *leiwen*-Füllmuster erkennen, und auf dem Dach alternieren in Zickzackordnung undekorierte glatte Bänder mit solchen, die eine eckige *leiwen*-Füllung haben. An First- und Traufkanten entlang zieht sich als Abschluss eine Zierleiste mit schräggestelltem Mäander.
Die Schmalseiten sind mit Tierdarstellungen verziert. Auf der einen findet sich eine für die Dian-Kunst charakteristische Tierkampfszene mit zwei ornamental gestalteten, symmetrisch angeordneten Tigern, die einen Eber angreifen; den Rest des fünfeckigen Dekorfeldes füllen ornamentalisierte Vogelmotive. Die andere Stirnseite zeigt sieben Sperber und einen Adler im Flug zusammen mit Wildgänsen, Wasservögeln und einem Pferd.
In ganz China ist dieses das einzige Beispiel eines Sarkophags in dieser Form und Ausführung, und unter allen bronzezeitlichen Funden der Provinz Yünnan ist der Haussarg mit Abstand das grösste Objekt. Um derartig monumentale Werke anfertigen zu können, bedurfte es zweifellos fortschrittlicher technologischer Herstellungsverfahren. Dieser Bronzesarg ist ein wichtiges Zeugnis für die hochstehende Technologie der Dian-Kultur in Yünnan zu Beginn der Zhanguo-Periode im 5. vorchristlichen Jahrhundert.

7

Bronzetrommel

Mittlere Chunqiu-Periode, ca. 7. Jh. v. Chr.
Bronze, H. 23,5 cm, D. 38,1 cm
Gewicht 23,2 kg
1975 ausgegraben in Wanjiaba, Chuxiong
[M 23:160]

Nach Ansicht der chinesischen Archäologen ist dieses die älteste Kesseltrommel aus Bronze, die bis heute gefunden wurde. Sie weist bereits die charakteristische Form auf mit einer bauchig nach unten und oben ausschwingenden Fuss- und Schulterzone sowie mit einer eingezogenen Wandung. Vier Ringhaken dienen als Griffe. Bei der Auffindung der Trommel waren noch Russspuren sichtbar. Daraus hat man geschlossen, dass die grossen Trommeln gelegentlich auch zur Zubereitung von Speisen verwendet worden sein könnten. Tatsächlich gleicht die Trommelform einem auf den Kopf gestellten Kessel vom Typ *fu*, einem Gefäss, das auch bei den Dian bekannt war.
Die Ornamente, mit denen die Trommel verziert ist, sind sehr einfach; auf dem Trommelteller erscheint der charakteristische Mittelstern, den man im Chinesischen als *taiyangwen*, «Sonnenornament», bezeichnet. Über die Leibung verlaufen 24 vertikale Grate in regelmässigen Abständen. Auf dem hohen Fussring sind Spiralornamente, sogenannte «Donnermuster» *(leiwen)* zu erkennen. Der spärliche Liniendekor weist offenbar auf eine frühe Entstehungszeit der Trommel hin. Nach der C-14-Bestimmung kommt für den gesamten Fundkomplex in der Tat eine Datierung um 690 (±90) v. Chr. in Frage. Aus diesem zeitlichen Ansatz ergibt sich, dass wir es hier mit der ältesten bis heute gefundenen Bronzetrommel zu tun haben, und ein Vergleich mit den übrigen 16 bisher in Yünnan sichergestellten Bronzetrommeln scheint dies zu bestätigen. Alle stammen aus dem Gebiet zwischen dem Dian-See und dem Er-See. Sie entsprechen jenen Typen von Bronzetrommeln die schon 1902 der Oesterreicher F. Heger in seinem Buch: *Alte Metalltrommeln aus Südost-Asien* publizierte.
Zur Funktion der Bronzetrommeln als Schatzbehälter und Musikinstrument vgl. auch Kat. Nr. 12 und 13.

6

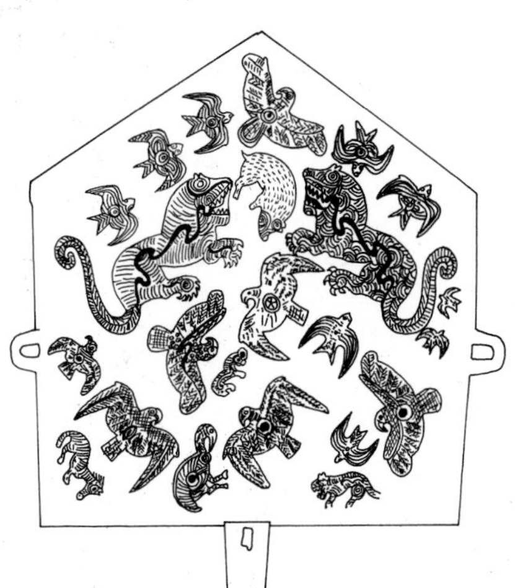

Die Stirnseite des Sarkophags

7

Feste des Dian-Volkes

Musik, Tanz und rituelle Menschenopfer

8
Gürtelschmuckplatte mit Musikanten und Tänzern
Mitte der Westlichen Han-Dynastie, ca. 150–50 v. Chr.
Bronze, teilweise vergoldet
H. 9,5 cm, B. 13 cm
Gewicht 342 g
1956 ausgegraben in Shizhaishan, Jinning
[M 13 : 109]

Die reliefierte Schmuckplatte stellt in zwei übereinander angeordneten Reihen je vier männliche Musikanten und Tänzer dar. In der oberen Reihe halten drei Figuren die Hände zum Tanz erhoben, eine vierte scheint singend die anderen anzuspornen. Alle tragen eine markante Kopfbedeckung, von der zwei Bänder nach hinten fallen, sowie die charakteristische Gürtelschmuckscheibe. In der unteren Reihe spielen Musikanten auf: Der erste von rechts hält ein kalebassenförmiges *sheng*-Blasinstrument (Kat. Nr. 11) in den Händen, neben ihm schlägt einer die Trommel, der dritte bläst auf einer kurzen Flöte und der letzte musiziert auf einem quergehaltenen *sheng* mit leicht gekrümmtem Rohr (Kat. Nr. 10).
Die Dian waren berühmt für ihren Gesang und ihre Tänze, was auch Sima Xiangru (gest. 117 v. Chr.), ein Autor der Westlichen Han-Dynastie, in seinem *Shanglinfu* oder «Prosagedicht auf den Oberen Kaiserlichen Jagdpark» hervorgehoben hat. Dieser Sachverhalt findet zudem eine schöne Bestätigung in den Funden zahlreicher Bronze-Musikinstrumente, die uns eine Vorstellung von der Musik, wie sie vor mehr als 2000 Jahren erklungen ist, zu vermitteln vermögen.

8

9

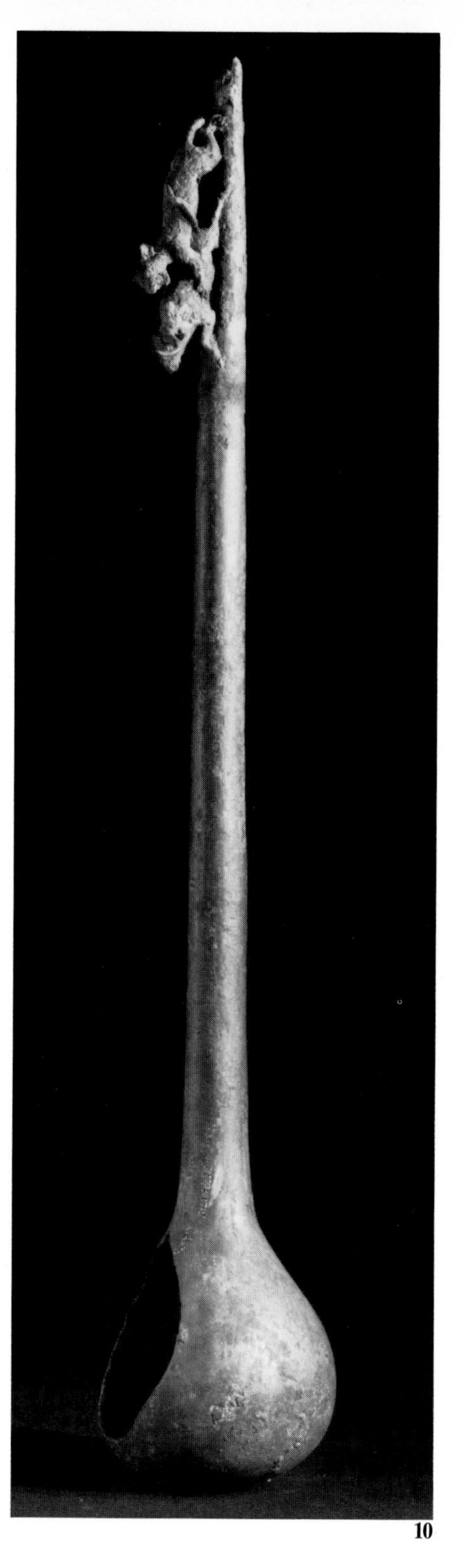

10

9

Stangenaufsatz mit der Figur eines *sheng*-Spielers

Späte Chunqiu-Periode,
ca. 6. Jh. - frühes 5. Jh. v. Chr.
Bronze, L. 18,5 cm
Gewicht 159 g
1972 ausgegraben in Lijiashan, Jiangchuan
[M 24 : 66]

Die rundplastische Figur auf der Spitze des Stangenaufsatzes sitzt mit untergeschlagenen Beinen auf einer Bronzetrommel und hält ein *sheng*-Blasinstrument in den Händen. Die Haare sind in der damals üblichen Weise hochgesteckt, und über den Rücken ist ein Tierfell gelegt. Ein geflochtener schlangenartiger Reliefdekor, der zusätzlich durch feine Gravurlinien belebt ist, verziert die mittlere Partie des Aufsatzes. Der hohle untere Teil diente zur Aufnahme einer Holzstange.

10

Blasinstrument vom Typ *sheng* mit langem, geradem Mundstück

Mitte der Westlichen Han-Dynastie,
ca. 150–50 v. Chr.
Bronze, L. 60 cm
Gewicht 1,4 kg
1956 ausgegraben in Shizhaishan, Jinning
[M 17 : 9]

Auf der Vorderseite des kugeligen Resonanzkörpers hat das Instrument eine grosse Öffnung. Das lange Mundstück weist ein rundes und an der Rückseite sechs viereckige Löcher auf; am Ende ist es mit der vollplastischen Figur eines Rindes verziert, das von einem Tiger angefallen wird.
Dieses Blasinstrument ist uns aus Darstellungen von Musikanten bekannt, die oft ein *sheng* vom gleichen Typ spielen (Kat. Nr. 8, unten links).

11

Blasinstrument vom Typ *hulu sheng*

Späte Chunqiu-Periode,
ca. 6. Jh. – frühes 5. Jh. v. Chr.
Bronze, H. 28,2 cm
Gewicht 867 g
1972 ausgegraben in Lijiashan, Jiangchuan
[M 24 : 40]

Das bronzene Blasinstrument mit dem gekrümmten Ende und dem gewölbten Klangkörper ahmt die Gestalt einer Kalebasse nach. Es wird bekrönt von der kleinen Rundplastik eines Rindes. Sechs Löcher, eines auf der Rückseite, fünf auf der Vorderseite, dienten zur Aufnahme von Bambusrohren, von denen bei der Ausgrabung im Jahr 1972 noch Reste vorhanden waren.

Das *sheng* ist in China sehr früh nachzuweisen. Schon im *Shijing,* dem seit dem 9. Jh. v. Chr. kompilierten «Buch der Lieder», heisst es: «Wenn wir Gäste empfangen, [wird] die Trommel *(gu)* [geschlagen], [erklingt] die Zither *(se)* und [bläst man] das *sheng.*»

Bei den Dian war das *sheng* in allen Zeiten das wichtigste Musikinstrument. Die in Bronze erhaltenen Darstellungen sowie zahlreiche ausgegrabene *sheng* belegen, dass es zwei unterschiedliche Typen des *sheng* gegeben hat, nämlich eines mit einem geraden Mundstück und ein anderes mit einem gekrümmten. Beide konnten entweder einzeln oder in Orchestern verwendet werden.

Noch heute benützen verschiedene Minoritäten in Yünnan, wie zum Beispiel die Lahu, dieses Musikinstrument.

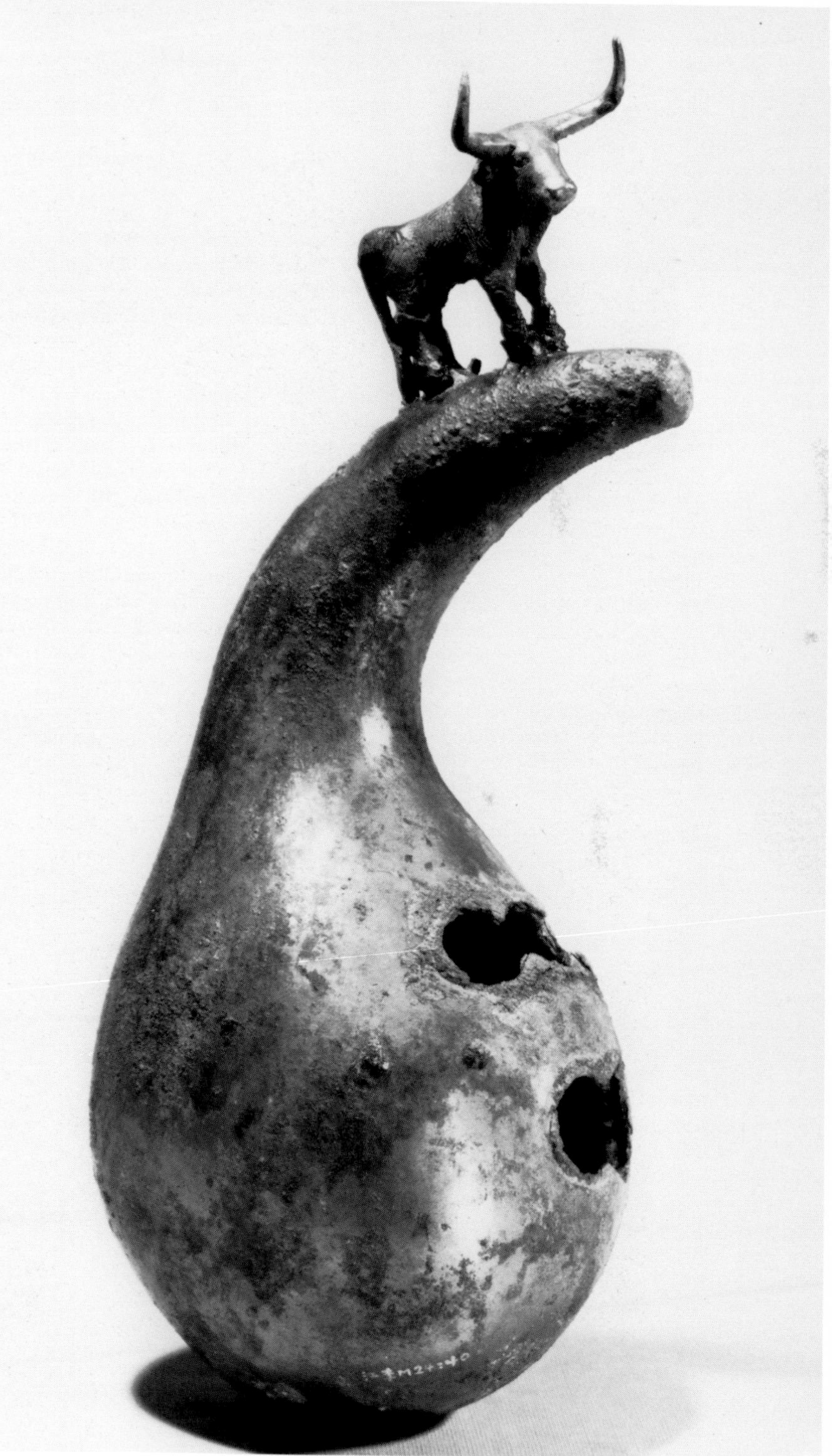

11

12
Bronzetrommel
Späte Chunqiu-Periode,
ca. 6. Jh. – frühes 5. Jh. v. Chr.
Bronze, H. 30,1 cm, D. 39,1 cm
Gewicht 16,15 kg
1972 ausgegraben in Lijiashan, Jiangchuan
[M 24 : 42 B]

Die Bronzetrommel ist ein im ganzen Südwesten Chinas seit ältesten Zeiten verbreitetes Musikinstrument, das zur Begleitung des Tanzes, aber auch zur Übermittlung von Nachrichten und Signalen verwendet wurde, so zum Beispiel zur Einberufung von Versammlungen, bei kriegerischen Ereignissen oder zur Geisterbeschwörung. Ausserdem dienten solche Trommeln auch als Schatzbehälter, in die Kaurischnecken oder Wertgegenstände eingefüllt werden konnten. Daraus lässt sich auch der Stellenwert der Trommel als Wahrzeichen des Reichtums und hohen Spezialprestiges ableiten.
Wie die mehr als 2600 Jahre alten Funde aus dem Grab Nr. 23 von Wanjiaba im Bezirk Chuxiong (Kat. Nr. 7) ergeben haben, waren Bronzetrommeln in Yünnan seit frühester Zeit bekannt. Damit ist eine lange und ununterbrochene Tradition dieser Trommeln belegt, da diese bis auf den heutigen Tag bei den Minderheiten der Yi, Wa, Miao, Yao und Shui in Gebrauch sind.
Die hier ausgestellte Trommel ist ein Werk der reifen Periode. Der zylindrische, hohle Körper mit flachem Trommelteller ist in der oberen Hälfte stark eingezogen; auf dieser Höhe befinden sich vier Griffe, an denen das Instrument aufgehängt werden konnte. Ein Boden ist nicht vorhanden. Der in konzentrischen Ringen geordnete Flachreliefdekor auf dem Deckel beginnt mit einem spitz gezackten Stern (*taiyangwen* – «Sonnendekor») in der Mitte, auf den konzentrische Ringe mit Dreiecksornamenten folgen. Ähnliche Motive verzieren auch die Wandung der Trommel. Dort lassen sich ferner Darstellungen menschlicher Figuren in feinem Relief erkennen.
Zur Herstellung der Trommel sind Gussformen aus Ton verwendet worden. Die einzelnen Stücke wurden anschliessend zusammengefügt. Deutlich erkennt man eine vertikale Nahtstelle.

13
Bronzetrommel
Mitte der Westlichen Han-Dynastie,
ca. 150–50 v. Chr.
Bronze, H. 31,2 cm, D. 40,7 cm
Gewicht 15,12 kg
1956 ausgegraben in Shizhaishan, Jinning
[M 14 : 1]

Die dem zuvor diskutierten Stück (Kat. Nr. 12) sehr ähnliche Bronzetrommel zeigt auf dem flachen Trommelteller wiederum ein konzentrisch angeordnetes Flachreliefmuster. Ein zehnfach gezackter Stern auf schraffiertem Grund bildet die Mitte. Der Stern ist umgeben von einem doppelten Kreis mit Ringketten-Dekor. Darauf folgt ein breites Band mit der Darstellung von vier im Fluge wiedergegebenen Reihern. Den Abschluss nach aussen bilden drei weitere Kreise mit Dreiecks- und Ringkettenmotiven. Ähnliche Dekorformen schmücken die Leibung der Trommel. Auf horizontal angeordneten Bildfeldern sind bewaffnete Krieger mit Schilden und federgeschmückten Kopfbedeckungen abgebildet. Bis auf den heutigen Tag sind im Jingjiang-Bezirk der Provinz Yünnan bei den Jingpo ähnliche Schilde in Gebrauch.

12

13

14

14

Drei Tänzer und ein *sheng*-Spieler
Mitte der Westlichen Han-Dynastie,
ca. 150–50 v. Chr.
Bronze, H. 8,5 cm/7,5 cm/8,8 cm/8 cm
Gewicht 597 g
1956 ausgegraben in Shizhaishan, Jinning
[M 17 : 23]

Alle vier Bronzefiguren besitzen auf ihrer Standfläche einen kurzen Stift, mit dem sie in einer Unterlage verankert werden können. Ein Musikant bläst auf einem *sheng* in Kalebassenform, zu dessen Klängen sich die drei anderen mit eleganten Gesten und ausgreifendem Schritt in lebhaftem Tanz bewegen. Die vier männlichen Figuren gleichen einander in Kleidung, Haartracht und Schmuck. Charakteristisch sind wiederum das lange, auf der Brust zugeschnürte, reich verzierte Obergewand, die runden Gürtelschmuckplatten, die Armringe und die grossen Ohrringe.

15

15
Figürlicher Zierat in Gestalt zweier Tänzer
Mitte der Westlichen Han-Dynastie,
ca. 150–50 v. Chr.
Bronze, vergoldet
H. 12 cm, L. 18,5 cm
Gewicht 320 g
1956 ausgegraben in Shizhaishan, Jinning
[M 13 : 38]

Bei diesem ausserordentlich bewegten Meisterwerk der frühen chinesischen Kleinplastik handelt es sich wohl um ein Gewandschmuckstück, denn auf der Rückseite besitzt das vergoldete, in durchbrochener Arbeit ausgeführte Relief einen Dorn zur Befestigung. Zwei Tänzer zeigen hier in akrobatisch ausladenden Bewegungen ihre Fertigkeiten: in beiden Händen jonglieren sie flache, tellerähnliche Gegenstände, und mit erhobenem Kopf scheinen sie ihre Kunststücke durch Gesang zu untermalen. Zumindest deutet der geöffnete Mund darauf hin. Die rechtwinklig abgeknickten Beine, der leicht nach vorn geneigte Oberkörper und besonders die weit ausgestreckten Arme versetzen die beiden barfüssigen Tänzer beinahe in einen Zustand ekstatischen Schwebens, der auch durch die von einer sich ringelnden Schlange gebildeten Standlinie nicht beeinträchtigt wird. Die Schlange beisst dem vorderen Akrobaten in seinen rechten Unterschenkel und schlingt ihren Schwanz um den rechten Fuss des anderen. Die beiden Tänzer tragen langärmelige, auf der Seite zu schliessende Jacken, lange, eng anliegende, gemusterte Hosen und um die Hüfte gegürtet jeweils ein langes Schwert. Ihre Haare sind zu einem kleinen Knoten zusammengebunden.
Dieses vergoldete Bronzeschmuckstück bezeugt nicht nur den künstlerischen Einfallsreichtum und hohen Standard der Gusstechnik während der vorchristlichen Jahrhunderte in Yünnan, sondern es darf zugleich als zeitgenössischer Reflex für die tänzerischen und akrobatischen Darbietungen des Dian-Volkes gewertet werden.

16

16

Deckel eines Kaurischnecken-Behälters
Mitte der Westlichen Han-Dynastie,
ca. 150–50 v. Chr.
Bronze, D. 52,5 cm
Gewicht 20,07 kg
1956 ausgegraben in Shizhaishan, Jinning
[M 12 : 1]

Irrtümlicherweise wurde dieser Deckel eines Schatzbehälters anfänglich für einen Gong gehalten. Die Oberfläche ist gewölbt und mit einem linearen Flachreliefdekor verziert. Im Zentrum findet sich wiederum das «Sonnenmotiv» *(taiyangwen),* ein achtfach gezackter Stern mit dreiecksbildender Schraffur in den Zwickeln. Umrahmt wird dieses Motiv von einem «Wolkendekor» *(yunwen)*-Band, das zwischen zwei Reihen eines Sägezahnornaments liegt.
Die anschliessende breite Zone ist figürlichen Motiven vorbehalten, nämlich der Darstellung der *yuwu* oder «federtragenden Schamanen». Diese sind in lange, um die Hüften geschlungene Röcke gekleidet; ihr Oberkörper ist nackt, und sie tragen einen Kopfschmuck mit hohen Federn. In einer Hand halten sie Federfahnen. Ihre Füsse sind unbekleidet. Mitten unter ihnen fällt eine eine einzelne, völlig bekleidete Gestalt auf mit einer Feder im Haar und einem langen Schwert an der Seite; zweifellos handelt es sich dabei um den Anführer der Gruppe. Gegen den äusseren Rand wird der dreiteilige Dekorring mit «Wolkendekor» wiederholt.

17

17
Zierat in Form einer kleinen Stierkampftribüne
Mitte der Westlichen Han-Dynastie,
ca. 150–50 v. Chr.
Bronze, H. 5,6 cm, L. 9,5 cm
Gewicht 161 g
1956 ausgegraben in Shizhaishan, Jinning
[M 7:33]

Ein Dorn an der Rückseite deutet darauf hin, dass dieses heute stark patinierte Bronzeplättchen ursprünglich wohl als Gewandschmuck verwendet wurde. Die Schauseite gibt eine hohe Estrade wieder, in deren Mitte eine auf einem Vorbau kauernde Figur ein Tor weit offen hält, durch das eben ein mächtiger Stier die Arena betritt. Von der Estrade herab verfolgen vier Männer und sieben Frauen – durch unterschiedliche Haartracht gekennzeichnet – das Geschehen. Sie scheinen zu sitzen und haben die Unterarme auf die Brüstung gestützt. Am Boden ducken sich zu beiden Seiten des Tores dicht gedrängt je fünf männliche, mit langen Federn geschmückte Gestalten. Sie wirken, obwohl sie nur knapp 2 cm gross sind, sehr lebensnah, nimmt doch jede von ihnen eine individuelle Haltung ein. Offenbar handelt es sich hier um die Darstellung eines Stierkampfes.
Stierkampf-Traditionen sind im Südwesten Chinas weit verbreitet. Den *Qianji,* «Notizen aus der Provinz Guizhou», von Li Zongfang aus der Qing-Dynastie (1644–1912) ist Folgendes zu entnehmen: «Bei den Baimiao wird, bevor sie die Opfer für die Ahnen vollziehen, ein kräftiger und wohlgenährter Stier, der gerade Hörner haben muss, ausgesucht. Dann versammelt sich die Dorfbevölkerung auf offenem Feld zum Stierkampf. Gemäss den geltenden Regeln gewinnen diejenigen, welche den Zeitpunkt voraussagen können, an dem der Stier getötet wird.» Auch heute noch kennt die Minorität der Sani aus dem Lunan-Bezirk den Stierkampf. Die kleine Schmuckplatte liefert den Nachweis, dass der Stierkampf in Yünnan auf eine mehr als 2000jährige Geschichte zurückblicken kann.

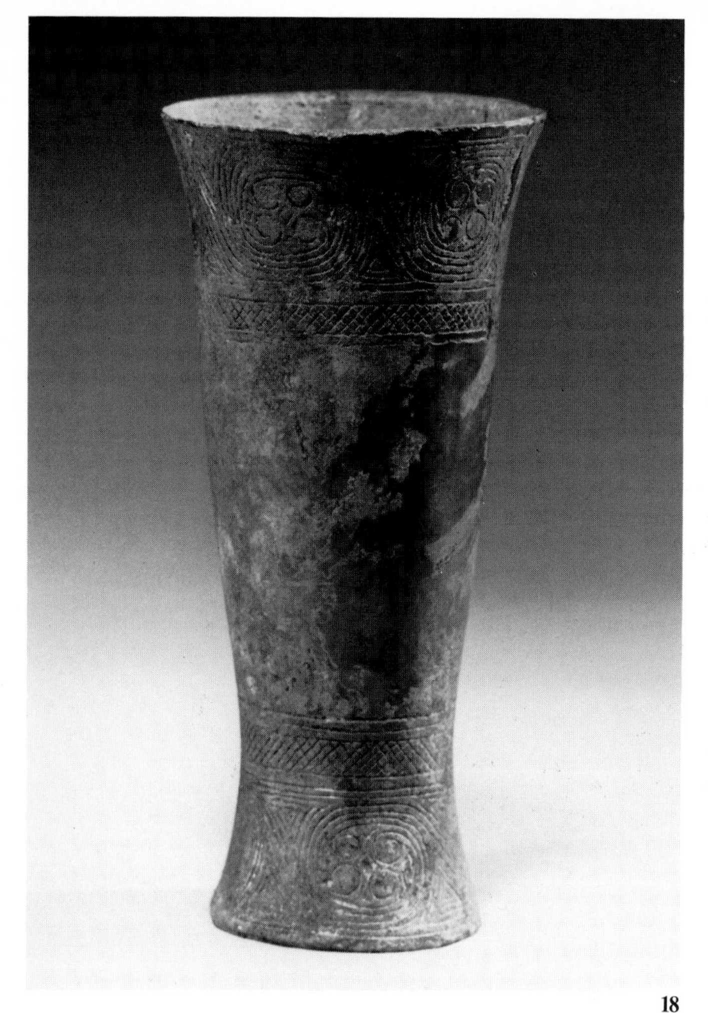

18

19

18
Weinpokal vom Typ *bei*
Zhanguo-Periode (481–222 v. Chr.)
Bronze, H. 18 cm, D. 8,5 cm
Gewicht 495 g
1972 ausgegraben in Lijiashan, Jiangchuan
[M 22 : 1]

Der doppelt konische Weinpokal weist an der Lippe einen etwas grösseren Durchmesser auf als am Fuss. Zwei Dekorzonen zeigen je ein Rhombendekorband *(wangwen)* und ein breites Wirbelkreismotiv *(xuanwen)*.
Seit der Shang- (16.–11. Jh. v. Chr.) und Zhou-Zeit (11.–3. Jh. v. Chr.) sind vergleichbare *bei*-Weinpokale in China bekannt. Die Form erinnert entfernt an Ritualgefässe vom Typ *gu*.

19
Weingefäss vom Typ *zun*, dekoriert mit zwei liegenden Rinderfiguren
Mitte der Westlichen Han-Dynastie,
ca. 150–50 v. Chr.
Bronze, H. 26,1 cm
Gewicht 3,22 kg
1956 ausgegraben in Shizhaishan, Jinning
[M 17 : 29]

Das in seinem Aufbau dreifach gegliederte Weingefäss ist undekoriert. Der trichterförmige Fuss entspricht in Höhe und Proportion nahezu der ausschwingenden Halszone.
Auf der Schulter der kraftvoll ausgewölbten Gefässleibung in der Mitte ruhen zwei liegende, vollplastisch gearbeitete Rinderfiguren.

20
Runde Gürtelschmuckscheibe mit 18 Tänzern
Späte Chunqiu-Periode,
ca. 6. Jh. – frühes 5. Jh. v. Chr.
Bronze, mit Jade- und Malachiteinlagen
D. 7,1 cm
Gewicht 89 g
1972 ausgegraben in Lijiashan, Jiangchuan
[M 24]

Die runde Gürtelschmuckscheibe weist auf der Rückseite den üblichen Haken auf. Das Zentrum der Schauseite wird durch einen runden Jadeknopf markiert. Dieser ist umgeben von drei konzentrischen Ringen aus aneinandergereihten, in die Bronze eingelegten Malachitscheibchen. In durchbrochener Arbeit folgt darauf ein Kreis von 18 Tänzern, die mit einander über die Schulter gelegten Armen eine Kette bilden. Ein weiterer Ring aus drei Reihen von Malachitplättchen schliesst die Scheibe nach aussen ab.
Die Art dieses auf der Schmuckplatte dargestellten Rundtanzes lässt sich heute noch bei gewissen Tänzen der Minderheiten in Yünnan beobachten, zum Beispiel bei den Yi, den Bai, den Lahu, den Naxi und den Pumi. Im Jahr 1973 sind unter den neolithischen Funden von Shangsunjiazhai im Bezirk Datong, Provinz Qinghai, Keramikschalen mit eingeritzten Tanzszenen zum Vorschein gekommen, die in gewisser Weise der hier dargestellten entsprechen. Dies ist als ein Hinweis auf die lange Tradition des Tanzes in diesen Gegenden Chinas zu verstehen.

21
Weinschöpfer
Zhanguo-Periode (481–222 v. Chr.)
Bronze, L. 39,5 cm
Gewicht 394 g
1972 ausgegraben in Lijiashan, Jiangchuan
[M 11 : 21]

Der kugelige Kalebassenschöpfer mündet in einen langgezogenen, sich leicht verjüngenden Stiel, der mit Punkt- *(dian-)*, Feder- *(yu-)*, Dreiecks- *(sanjiao-)* und Blattmustern *(yewen)* geschmückt ist. Das Ende trägt eine rundplastische Menschenfigur, die mit hochgezogenen Beinen vor einem Gabelpfosten sitzt. Ihre Hände sind verschränkt und auf die Knie gestützt.
Dieser Weinschöpfer ist seinem Charakter nach ein typisches Werk der Dian-Bronzekunst ohne jeden chinesischen Einfluss der Han.

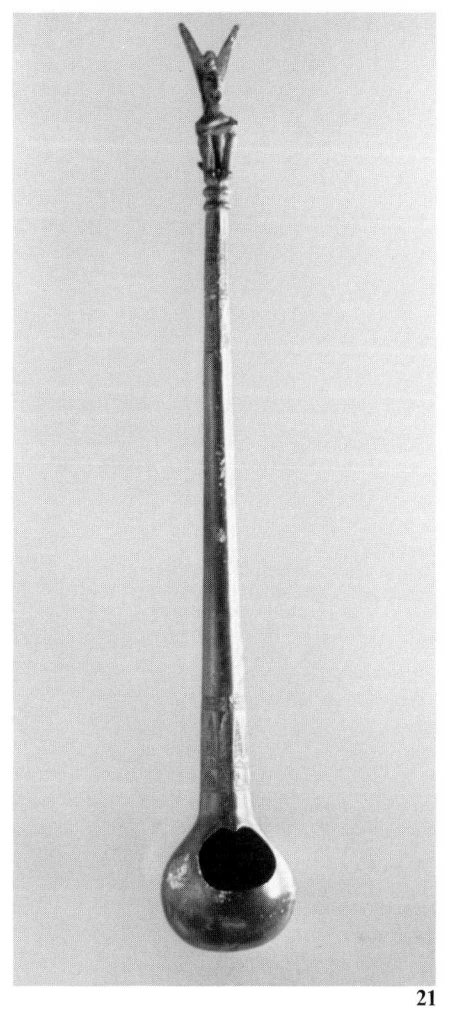
21

21

22
Weingefäss mit Deckel
Späte Chunqiu-Periode,
ca. 6. Jh. – frühes 5. Jh. v. Chr.
Bronze, H. 35,5 cm
Gewicht 2,72 kg
1972 ausgegraben in Lijiashan, Jiangchuan
[M 24 : 24]

Dieses Weingefäss, das in der chinesischen Bronzekunst der Han-Dynastie als *hu* bezeichnet wird, besitzt einen kugeligen Gefässkörper mit abgeflachtem Boden und einen langgezogenen konischen Hals. Die Form des Deckels erinnert an eine Miniaturtrommel, die mit einer vollrunden Kleinplastik eines Rindes geschmückt ist. Im Gegensatz zum chinesischen *hu* (Kat. Nr. 96) handelt es sich hier um ein eigenständiges Werk der Dian-Bronzekunst.

22

23

23

Kurzschwert vom Typ *jian* mit der Darstellung eines Kopfjägers auf dem Griff

Zhanguo-Periode (481-222 v. Chr.)
Bronze, L. 28,2 cm
Gewicht 301 g
1972 ausgegraben in Lijiashan, Jiangchuan
[Streufund Nr. 158]

Das *jian*-Schwert mit der breiten Klinge besitzt den für diesen Waffentyp charakteristischen hohlen Griff mit ovalem Querschnitt. Der Klingenansatz ist mit der leicht reliefierten Darstellung einer hockenden Gestalt mit fratzenhaftem Gesicht, hochgebundenem Haar und erhobenen Händen geschmückt. Die Figur ist reich behängt mit Schmuck und bekleidet mit einem ornamental behandelten Gewand. Der Griff besteht aus einer ähnlichen Fratzengestalt, wie sie auf der Klinge abgebildet ist. In der Rechten hält diese Figur einen Dolch, mit der Linken fasst sie einen Menschenkopf an den Haaren. Offensichtlich handelt es sich um eine Darstellung, die mit der Sitte der Kopfjagd in Verbindung gebracht werden muss.

Innerhalb der Dian-Kultur sind Hinweise auf Kopfjagd und Menschenopfer nicht selten anzutreffen, zum Beispiel unter den szenischen Darstellungen auf dem Deckel des Kaurischnecken-Behälters (Kat. Nr. 25), und auf der *fu*-Streitaxt (Kat. Nr. 26). Abgeschlagene Köpfe galten als Trophäen, als Zeugnisse kriegerischen Erfolgs und besonderer Tapferkeit; sie dienten auch als Opfergaben bei Ritualen, die ein ertragreiches Jahr gewährleisten sollten. Noch bis in die vierziger Jahre unseres Jahrhunderts hat das Wa-Volk in Yünnan an der Tradition der Kopfjägerei festgehalten. Dort fand alljährlich vor der Aussaat ein Ritual statt, bei dem abgeschlagene Menschenköpfe durch das Dorf getragen wurden. Zu gewissen Zeiten wurden zudem kriegerische Expeditionen in verfeindete Dörfer unternommen mit der Absicht, Köpfe zu gewinnen. Die Köpfe wurden in Bambuskörben vor dem Trommelpavillon aufgestellt, und die gesamte Dorfbevölkerung versammelte sich davor zu folgendem Gebet: «Wir leben hier gut und haben genügend zu essen. Wir bitten Euch, lasst es immer so sein. Wir hoffen, auch Eure Familienangehörigen bald hierher zum Mahle zu bitten. Beschützt unser Dorf und gewährt uns eine reiche Ernte!» Daraufhin wurden vor den Körben Feuer entfacht und Libationsopfer von Blut und Wasser dargebracht. Einer aus jeder Sippe nahm ein wenig von der Asche der Opferfeuer, um sie zusammen mit dem Saatgut auf das Feld auszubringen und sich dadurch eine üppige Ernte zu sichern.

24

Modell eines Wohnhauses

Mitte der Westlichen Han-Dynastie,
ca. 150–50 v. Ch.
Bronze, H. 11,5 cm, L. 12,5 cm, B. 7,5 cm
Gewicht 999 g
1956 ausgegraben in Shizhaishan, Jinning
[M 6:22]

Das Modell zeigt einen offenen Hallenbau mit einem erhöhten, ummauerten Hof. Gewaltige Holzpfosten bilden das festigende Grundgerüst einer Konstruktion, die sowohl die umzäunte Plattform als auch die teilweise verschalte Halle trägt. Die Pfeiler und Wände sind mit *leiwen* («Donnermuster»), *taowen* («Schnur- oder Flechtmuster») sowie Dreiecksornamenten verziert. Vor dem Aufgang zur Plattform ist eine Leiter an das Dach gelehnt, auf der sich eine Schlange ringelt. Das Gebäude steht innerhalb der Balustrade etwas zurückversetzt; seine Wände weisen horizontal verlaufende Musterungen auf, die zeigen sollen, wie die Balken der Wände übereinander liegen. Ein mächtiges, an den Giebelseiten oben ausladendes Dach vom Typ *xieshan,* das charakteristisch ist für die Architektur der Dian, überdeckt den Bau und bildet zugleich eine galerieartige Veranda. Durch die grosse Öffnung in der Mittelwand sieht man einen abgetrennten und im Zentrum der Öffnung aufgestellten Kopf eines Menschen. Nicht weniger als 13 Menschen, Tiere und verschiedene Gerätschaften lassen sich auf der Plattform und am Boden erkennen. Auf dem linken Teil der Veranda halten sich fünf Menschen auf; zwei Männer sitzen nahe bei der Wand, ebenso eine Frau, die mit beiden Händen einen Gegenstand hält.

Vor der Terrasse auf dem Boden sind zwei Männer zu beobachten, wie sie nicht genauer zu bestimmende Gegenstände herbeitragen. Teilweise sind ihre Haare hochgesteckt, teilweise zu Zöpfen geflochten. Links von der offenen Gebäudetür ist ein Tisch aufgestellt, auf dem Speisen bereitliegen. Davor sitzt ein Mann, der beide Hände auf den Tisch gelegt hat. Ihm zur Seite erkennt man je eine männliche Figur, rechts eine mit einem Band oder Ring um den Kopf, die Hände an die Wand gestützt, und links eine kleine Gestalt, die ihre Arme ausgestreckt hat, als wolle sie um etwas bitten. Auf der Terrasse liegt links neben der Leiter ein

24

Hund ausgestreckt am Boden. Drei Männer sitzen in einem Kreis. Ausserdem erkennt man rechts vor dem Haus zwei aufeinandergestellte Bronzetrommeln, und dahinter bläst eine männliche Gestalt ein Musikinstrument. Daneben sitzt eine Frau mit hohem Haarknoten. An den beiden Eckpfeilern der Halle sind Köpfe von Rindern aufgehängt, und an der Balustrade hängen zwei Beine von einem Rind oder Schwein neben einem Rinderkopf. Daneben sitzt ein Papagei. Ausserhalb der Balustrade, am Boden, befinden sich fünf Rinder und ein kleines, rattenartiges Tier. Links neben der Leiter rührt ein Mann in langem Gewand mit einer Kelle in einem grossen *fu*-Bronzekessel; ein kleines Kind zu seinen Füssen bläst in das unter dem Kessel angefachte Feuer. Ein Erwachsener sitzt beobachtend dabei. Rechts von der Leiter stehen ein Schwein und zwei Schafe.

Menschen, Tiere und Geräte sowie die Geschehnisse, die sich in diesem Haus abspielen, können unschwer als Vorbereitungen oder Zeremonien eines wichtigen Ereignisses im Fruchtbarkeitskult, der sich seinerseits mit dem Ackerbau in Verbindung bringen lässt, interpretiert werden. Auf den im Haus aufgestellten abgeschlagenen Menschenkopf muss besonders hingewiesen werden, sind doch der Musizierende und die an der Speisezubereitung Beteiligten offensichtlich mit einer rituellen Handlung beschäftigt. Bis in moderne Zeiten hinein war beim Volk der Wa der Brauch zu beobachten, dass nach der Rückkehr von der Kopfjagd vor dem Trommelpavillon geopfert wurde.

Die erbeuteten Köpfe bedeuteten Schutz und Segen für die Feldfrüchte und sollten Qualität und Quantität der nächsten Ernte erhöhen.

Die auf der Leiter sich ringelnde Schlange ist als Symbol der Erde zu betrachten, der gerade in den Ritualen der Ackerbaukulturen eine vorrangige Bedeutung als Lebensspenderin zukommt.

25

Kaurischnecken-Behälter in Form einer Bronzetrommel, dekoriert mit der szenischen Darstellung eines Menschenopfers auf dem Trommelteller

Mitte der Westlichen Han-Dynastie,
ca. 150–50 v. Chr.
Bronze, H. 30 cm, D. (des Deckels) 32 cm
Gewicht 13,07 kg
1956 ausgegraben in Shizhaishan, Jinning
[M 20 : 1]

Der Behälter, der bei seiner Auffindung mit Kaurischnecken gefüllt war, besitzt die Form einer Bronzetrommel. Der Trommelteller ist ersetzt durch eine mit vielen kleinen Figuren besetzte Scheibe. Vier Henkelgriffe sind zwischen der stark eingezogenen, mit Dekorbändern geschmückten Gefässleibung und der weit ausladenden, bauchigen Schulterzone angebracht.

Das szenische Ensemble auf dem Deckel setzt sich aus folgenden Einzelfiguren zusammen: 33 vollplastischen Bronzefigürchen mit einer Grösse von 2,9–6 cm, 3 Pferden mit einer Länge von 4–5,5 cm, 1 Rind sowie 1 Hund. In der Mitte sind drei Bronzetrommeln übereinander aufgetürmt zu einer Höhe von 6,8 cm. Es lassen sich in diesem Figurenensemble klar zwei an verschiedenen Ritualen beteiligte Gruppen unterscheiden, und zwar verläuft eine imaginäre Trennungslinie ungefähr zwischen den beiden seitlich am Deckel angebrachten, mit Zopfmuster geschmückten Bügelhenkeln. Die eine Gruppe beteiligt sich an einem Menschenopfer, die andere scheint eine Kulthandlung durchzuführen, die mit der Frühlingsaussaat in Zusammenhang steht.

Bei der ersten, 18 Figuren umfassenden Gruppe fällt eine an einem breiten Holzpfahl gefesselte männliche Gestalt auf. Sie ist nicht nur an Händen, Füssen und in der Leibesmitte gefesselt, sondern hat sogar den Kopf mit einem starken Strick fixiert. Um dieses im Zentrum des Geschehens stehende Menschenopfer spielen sich verschiedene Szenen ab. Vor dem Gefesselten neigt sich eine weibliche Gestalt in langem Gewand und mit hochgestecktem Haar, die – wie in grossem Entsetzen – sich mit beiden Händen an den Kopf greift. Neben ihr, am Rand des Deckels, steht eine weitere weibliche Gestalt, die einen Korb mit einem Fisch trägt. Rechts von ihr beobachtet ein kleiner Junge mit hochfrisiertem Haar und schräger Kopfhaltung abwartend die Szene. Hinter der verzweifelten Frau stehen drei Figuren: am Tellerrand steht

eine Frau, deren Haar bis zum Gürtel hinabreicht; vor ihr trägt ein Mann etwas in seinen Händen und hat ein Bündel über die Schulter gehängt; bei der Trommelsäule im Zentrum hockt eine Frau, die wohl einen Korb an ihre Brust drückt. Am weitesten entfernt vom Opferpfahl sitzen eine Frau mit einem Korb und einem Gefäss am Boden und daneben ein Mann, ebenfalls mit einem Gefäss. Ganz in der Nähe der zentralen Trommelsäule stehen eine Frau mit langem Gewand und eine Person, die ein Speise- oder Trankopfer herbeiträgt. Daneben steht ein Mann, der drei Holzäste in den Händen trägt sowie ein Mann, der etwas hinter sich her schleift. Gleich daneben geht ein Mann auf den Reiter zu, vor dem eine am Boden sitzende Figur einen Korb sowie einen runden Gegenstand trägt. Hinter dieser Figur steht am Tellerrand eine Figur mit zwei langen Zöpfen. Schliesslich steht bei dieser Gruppe noch ein Rind, und am Boden liegt ein enthaupteter Menschenleib.

Die zweite Gruppe umfasst 15 Figuren. Sie wird angeführt von einem Reiter mit hochgestecktem Haar. Dem Reiter folgt ein Mann in Begleitung eines Hundes; über der Schulter trägt der Mann eine Hacke oder einen Pickel. Zwei Diener befördern eine Sänfte, in der eine Würdenträgerin mit üppiger Haartracht sitzt. Mit nach links gewendetem Kopf blickt sie auf eine bittend am Boden kniende Gestalt. Daneben geht eine Figur, die etwas trägt; ihr Kopf ist abgebrochen. Auf der anderen Seite der Sänfte steht ein Mann mit einem Haarknoten, und hinter ihm scheint ein Reiter auf einem ungestümen Ross vorbeizusprengen. Hinter dem Pferd ist eine Frau zu erkennen; ihr nach hinten fallendes Haar ist sorgfältig gekämmt. Sie trägt zwei lange Gegenstände in ihren Armen. Eine andere Frau hält mit beiden Händen einen stabähnlichen Gegenstand umfasst. Hinter ihr trägt eine Frau einen Korb auf dem Kopf, und eine andere hält einen Stock. Eine weitere Frau verneigt sich vor der Sänfte, und schliesslich sitzt eine Figur mit einem gefüllten Korb in der Hand am Boden. Nach Meinung des chinesischen Forschers Feng Hanji ist auf der einen Seite mit dem Menschenopfer im Zentrum eine religiöse Zeremonie zu Beginn der Aussaat dargestellt. In vielen frühen Kulturen findet sich der Glaube, dass allein menschliches Blut die immer wiederkeh-

25

rende Fruchtbarkeit des Bodens gewährleisten könne und dass daher, im Hinblick auf eine reiche Ernte, das Opfer menschlichen Blutes unerlässlich sei. Auch die andere, zu einer Prozession formierte Gruppe mit der vornehmen Dame in der Sänfte und den verschiedenen Figuren, die Behälter und Ackerbaugeräte mit sich tragen, dürfte einem den Ackerbau betreffenden Fruchtbarkeitskult zuzuordnen sein. Im Zentrum des kultischen Geschehens stehen nicht die aufgetürmten Bronzetrommeln in der Mitte des Deckels.

Bei den Dian galt die Ritualtötung ikonographisch nicht definierten Göttern, und die Trommeln dienten lediglich als Hilfsmittel zur Kontaktaufnahme mit diesen. Wie auch heute noch beim Volk der Wa beobachtet werden kann, erfolgt die Anrufung der Götter um Regen durch Schläge auf Holztrommeln, und man kann annehmen, dass dies im Glauben an die entsprechende Wirksamkeit der Trommelklänge geschieht, die den Geistern den Weg zum Opferplatz weisen sollten.

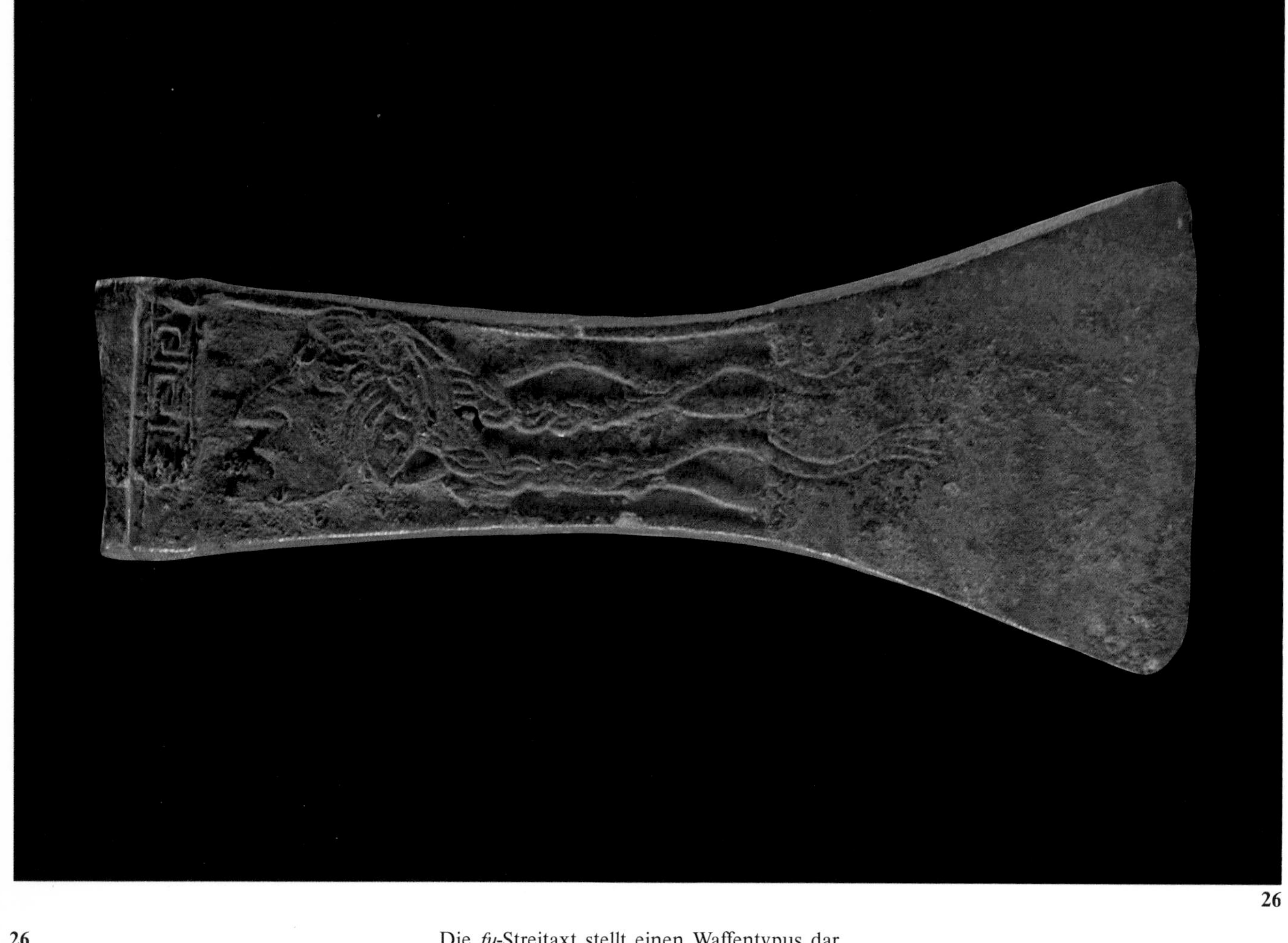

26

26

Streitaxt vom Typ *fu*, verziert mit einem Kopfjagdmotiv

Westliche Han-Dynastie (206 v. Chr. - 9 n. Chr.)
Bronze, L. 17,2 cm
Gewicht 710 g
1956 ausgegraben in Shizhaishan, Jinning
[M 1:17]

Die schmale Zone der sich zur Scheide hin verbreiternden *fu*–Axt ist in flachem Relief mit dem ornamental aufgefassten Motiv eines abgeschlagenen Menschenkopfes mit langen Zöpfen geschmückt. Es scheint sich um das Haupt eines Angehörigen des Kunming-Volkes zu handeln (Kat. Nr. 27). Die Rückseite weist ein kunstvolles «Wolkenmuster» *(yunwen)* auf.

Die *fu*-Streitaxt stellt einen Waffentypus dar, der während der Spätzeit der Streitenden Reiche (Zhanguo-Periode, 481–222 v. Chr.) und während der Westlichen Han-Dynastie bei den Dian weit verbreitet war.

Die Rückseite der Streitaxt

Waffen und Krieger

27
Kaurischnecken-Behälter mit der szenischen Darstellung eines Kampfes auf dem Deckel
Zhanguo-Periode (481–222 v. Chr.)
Bronze, H. 53,9 cm, D. des Deckels 33 cm
Gewicht 22,07 kg, Deckel 4,72 kg
1956 ausgegraben in Shizhaishan, Jinning
[M 6 : 1]

Schatzbehälter dieser Art dienten der feudalen Oberschicht der Dian zur Aufbewahrung der als Zahlungsmittel verwendeten Kauri-Meerschnecken. Die Deckel dieser Gefässe pflegte man häufig mit Darstellungen aus dem Leben dieser sozialen Klasse zu verzieren, zum Beispiel mit Kampfszenen, Kulthandlungen in Zusammenhang mit Opferzermonien, mit Aussaat und Ernte, mit Vertragsschliessungen und Tributdarbringungen. All dies vermittelt uns heute einen lebendigen Einblick in den Alltag, den Ritus, ja sogar in die Staatsgeschäfte jener Epoche. Bei diesem Behälter mit der szenischen Darstellung einer Kampfhandlung auf dem Deckel sind zwei übereinandergestellte Trommelkörper zu einem Gefäss verbunden. Die wie Gravurzeichnungen erscheinenden linearen Flachreliefs an den Seiten der beiden Gefässe zeigen je sechs Gruppen federgeschmückter Menschen und Boote. Auf den eingezogenen Wandungen sind Rinder und Tänzer zu erkennen. Auf beiden Trommeln erscheinen ferner die üblichen Ringband- und Dreiecksmotive. Auf dem Deckel ist mit 18 vollplastischen menschlichen Figuren (ursprünglich 22) und vier Pferden (ursprünglich 5) ein dramatisches Kampfgeschehen dargestellt. Die grösste Figur misst 7,3 cm, die kleinste 4,8 cm; die Pferde sind etwa 7 cm lang.

Die Ereignisse spielen sich offenbar in fünf Gruppen ab:

1) Nahe der Mitte des runden Deckels befindet sich ein Reiter; er scheint der Anführer zu sein. Er trägt Harnisch und Helm und hält in der rechten Hand einen Speer, mit dem er nach dem Krieger, der unter das Pferd gestürzt ist, zu zielen scheint. Davor liegt eine nackte Gestalt ausgestreckt auf dem Boden; ihr Kopf ist nicht erhalten. Dem vorwärtsstürmenden Pferd nähert sich von links ein weiterer Krieger in voller Rüstung mit einem Schwert an der Seite und einem Schild über der Schulter; mit erhobenem Speer tritt dieser dem anstürmenden Reiter entgegen.

2) Die zweite Gruppierung umfasst einen geharnischten Reiter, der im Begriff ist, mit erhobener Waffe einen am Boden liegenden Gegner zu erschlagen.

3) Links von der ersten Gruppe spielt sich eine Szene mit vier Kämpfern ab: Ein gepanzerter Krieger ist daran, einen Gegner, dessen Haare in zwei Zöpfe geflochten sind, zu töten. Der Besiegte stützt die linke Hand auf den Boden; mit der erhobenen Rechten scheint er um Gnade zu flehen. Von seiner linken Schulter hängt ebenfalls ein Schild. Ein Pferd galoppiert verstört davon; vor ihm steht ein angriffsbereiter Krieger. Auf der linken Seite des oben erwähnten Reiters steht ein mit Schwert und Schild bewaffneter Fussoldat; er hält mit beiden Händen einen Speer zum Angriff bereit.

4) Eine vierte Gruppe umfasst vier Personen, die links hinter dem als Anführer bezeichneten Reiter der ersten Gruppe stehen. Zwei bewaffnete Krieger bewachen zwei Gefangene, deren Hände gefesselt sind und deren Haare zu zwei Zöpfen geflochten sind.

5) Links von dieser Gruppe stehen zwei Soldaten. Der eine ist schwer bewaffnet, der andere, wiederum mit langen Zöpfen, kniet in der Haltung der Unterwerfung auf der Erde.

In diesen kriegerischen Szenen lassen sich ganz klar die gegnerischen Gruppen unterscheiden: Auf der einen Seite stehen die eindeutig als Sieger zu erkennenden, schwer bewaffneten Krieger mit hochgesteckten Haaren und auf der anderen Seite die unterlegenen, teils getöteten, teils sich unterwerfenden Angehörigen eines Volkes, das die Haare in langen Zöpfen geflochten trägt. Aus dem Kapitel «Über die Barbaren des Südwestens», *Xinan Yi liechuan,* in den «Historischen Aufzeichnungen» oder *Shiji* geht hervor, dass es sich bei dem Volk mit hochgekämmter Haartracht um die Dian handeln muss. Ihre zöpfetragenden, besiegten Gegner hingegen werden als das Kunming-Volk, ein ehemaliges Nachbarvolk der Dian, bezeichnet. Diese Grabbeigabe aus dem Grab eines Dian-Königs ist offensichtlich als eine Dokumentation der politischen und militärischen Erfolge des Bestatteten im Kampf gegen das Kunming-Volk zu verstehen.

27

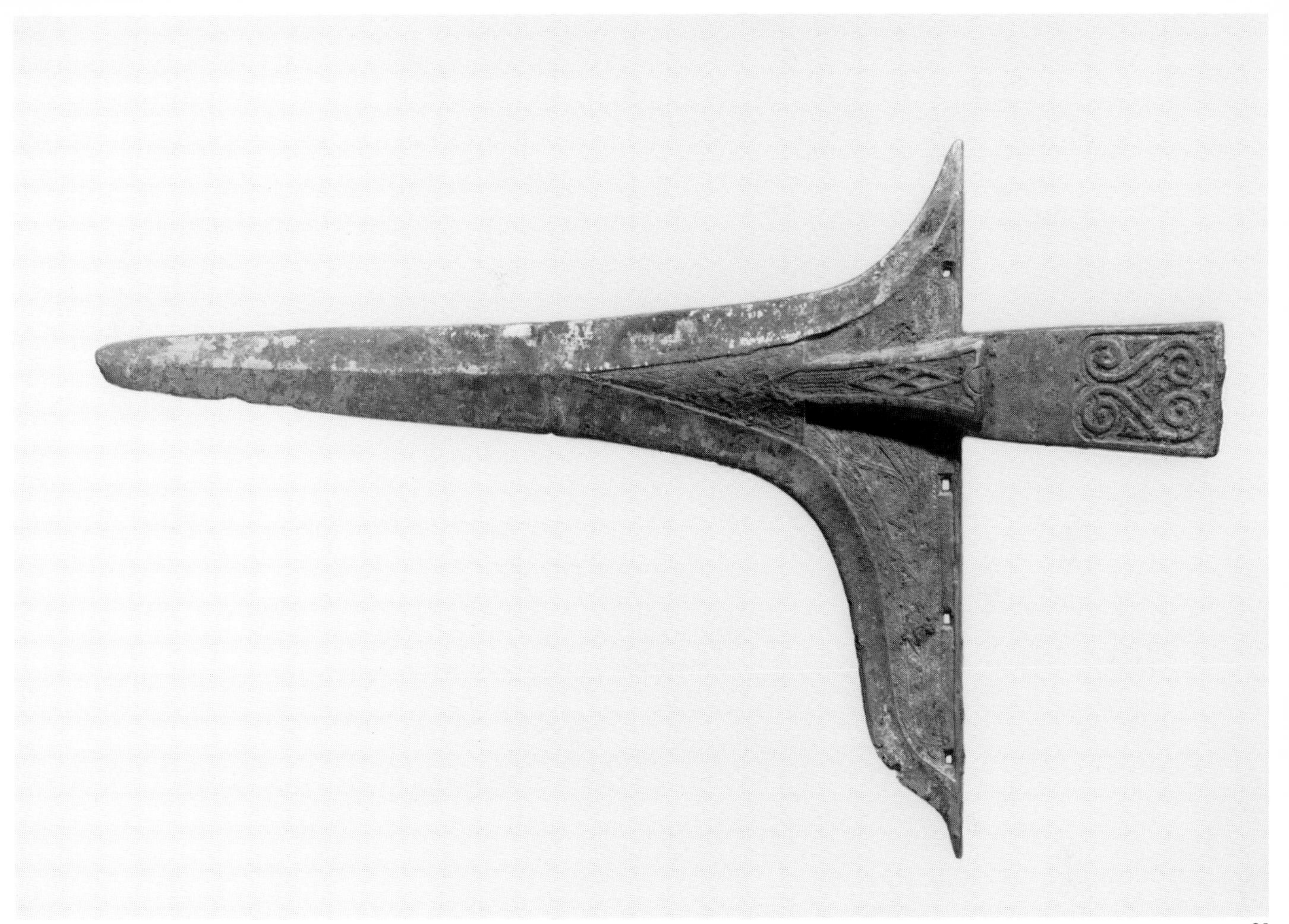

29

28
Elf Pfeilspitzen
Chunqiu-Periode (722–481 v. Chr.)
und Westliche Han-Dynastie
(206 v. Chr. – 9 n. Chr.)
Bronze und Eisen, L. 4,5–10,3 cm
Gewicht 3 g–8,2 g
Ausgegraben in Lijiashan und Shizhaishan

Die lanzettförmigen Pfeilspitzen sind innen teilweise hohl; einige haben Widerhaken, und drei weisen eine eiserne Spitze auf.

29
Hellebarde vom Typ *ge*
Mitte der Westlichen Han-Dynastie,
ca. 150–50 v. Chr.
Bronze, L. 31 cm, B. 19 cm
Gewicht 332 g
1956 ausgegraben in Shizhaishan, Jinning
[M 12 : 9]

Die elegant geschwungene, spitz zulaufende Klinge ist durch eine verzierte Mittelrippe verstärkt und verbreitet sich zu zwei asymmetrischen «Flügeln». Diese weisen vier Löcher auf, die ursprünglich – wohl mit Hilfe von Seidenverschnürungen – zur Befestigung der *ge*-Klinge an einem langen Holzschaft gedient haben dürften. Ein flacher, rechteckiger Fortsatz ist mit einer reliefierten S-förmigen Doppelvolute verziert. Netz-Rhomben- und Spiralornamente sind am Klingenansatz zu erkennen.
Im bronzezeitlichen China waren diese *ge*-Hellebarden schon seit der Shang- und Zhou-Zeit weit verbreitet. Dieses Objekt aus Yünnan belegt die damals schon bestehenden Verbindungen zu den Bronzewerkstätten im chinesischen Kernland.

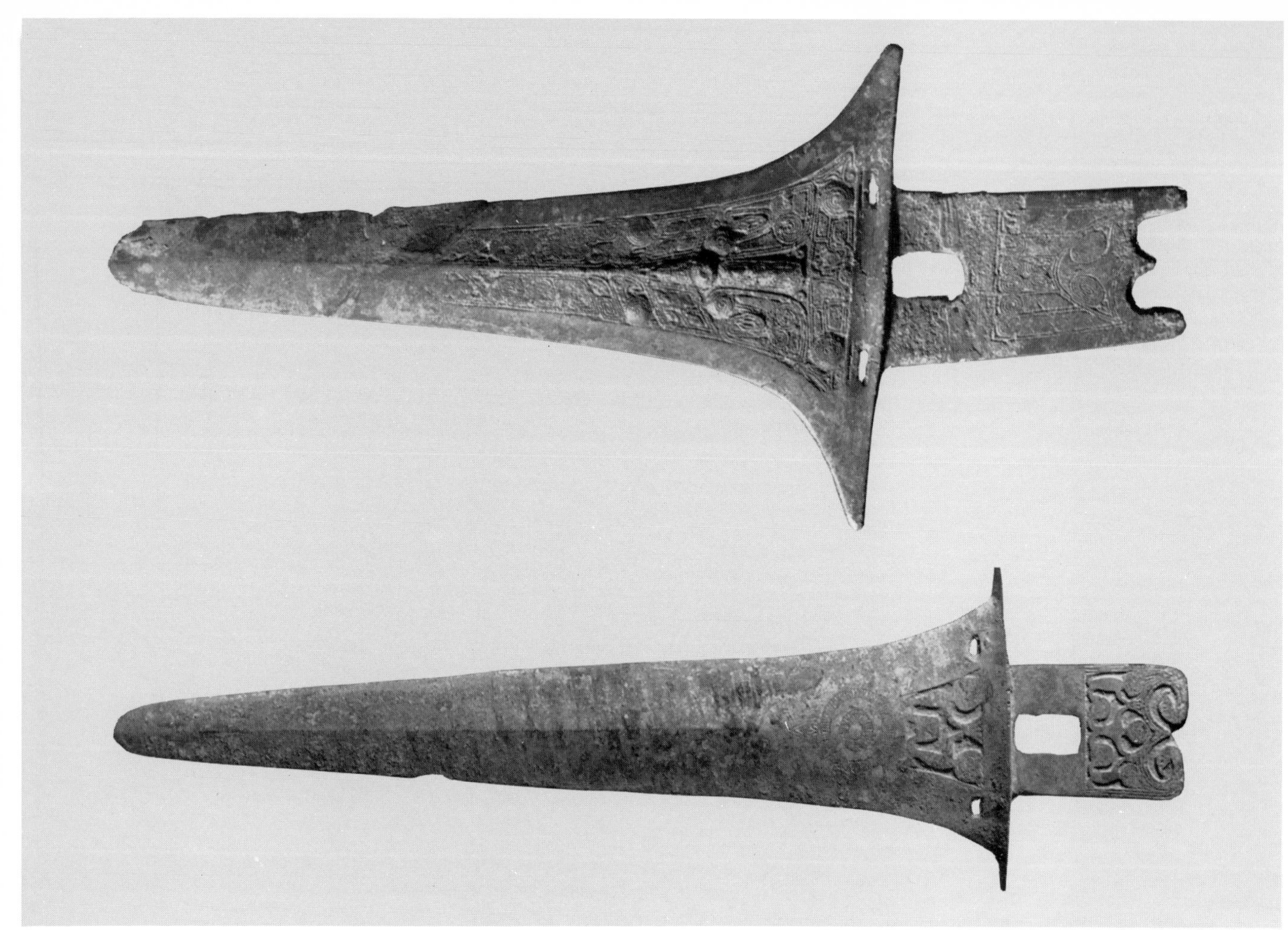

30, 31

30
Ge*-Hellebarde mit einem *taotie
Späte Chunqiu-Periode,
ca. 6. Jh. – frühes 5. Jh. v. Chr.
Bronze, L. 30,2 cm, B. 13,4 cm
Gewicht 353 g
1972 ausgegraben in Lijiashan, Jiangchuan
[M 21:67)

Die nur leicht vorstehende Mittelrippe der Klinge bildet zugleich auch die Symmetrieachse eines im Vergleich zu Han-chinesischen Vergleichsbeispielen künstlerisch unausgewogenen *taotie*-Dekors, der im spitz zulaufenden Dekorfeld in ein S-förmiges *yunwen* («Wolkenmuster») mündet. Die zwei Schlitze am Klingenrand und das grosse, rechteckige Loch an der Halterung dienten zur Befestigung des hölzernen Griffs.
Das *taotie* ist in der chinesischen Tradition die frontale Darstellung einer Monstermaske, die schon früh mit einem sagenhaften, gefrässigen Ungeheuer in Verbindung gebracht wurde. Es ist eines der Leitmotive im Dekorvokabular der Bronzekunst der Shang- und mit Einschränkungen auch der Zhou-Dynastie. Auf Yünnan-Bronzen ist es hingegen sehr selten vertreten. Immerhin vermag das gelegentliche Auftreten des *taotie* in der Dian-Kunst die Beziehungen der Randregion mit dem kulturellen Zentrum des damaligen China zu belegen.

31
***Ge*-Hellebarde, dekoriert mit ornamentalen menschlichen Figuren**
Mitte der Westlichen Han-Dynastie,
ca. 150–50 v. Chr.
Bronze, L. 33,8 cm, B. 9,9 cm
Gewicht 410 g
1956 ausgegraben in Shizhaishan, Jinning
[M 12:18]

Die spitz und gerade zulaufende, dolchähnliche Klinge ist von der Spitze an auf ungefähr zwei Dritteln ihrer Länge durch einen Mittelgrat profiliert. Zum Ansatz hin ist ein *taiyangwen* («Sonnenmuster») aus zwei konzentrischen, strahlenförmig schraffierten Ringen sichtbar. Das trapezförmige Bildfeld am Klingenrand zeigt die Silhouetten zweier einander gegenüber sitzender, unbekleiderter Menschen. Das Endstück des rechteckigen Heftzapfens ist mit einem ähnlichen Dekor verziert: Links und rechts von einer frontal gesehenen Gestalt sitzen zwei im Profil dargestellte Menschen. Zwischen den drei Figuren erkennt man am Boden zwei menschliche Köpfe. Die drei dargestellten Menschen erheben ihre Hände, die sie auf Kopfhöhe vereinigen. Dieser ornamental gestaltete Dekor mit menschlichen Figuren findet sich in der Dian-Bronzekunst häufig. Ähnliche Darstellungen sind in der alten Bashu-Kultur von Sichuan anzutreffen. Sie mögen auf gemeinsame Vorstellungen zurückgehen.

32
***Ge*-Hellebarde mit einer röhrenförmigen, von Tierfiguren verzierten Schafttülle**
Mitte der Westlichen Han-Dynastie,
ca. 150–50 v. Chr.
Bronze, L. 26 cm, L. (der Tülle) 14,5 cm
Gewicht 592 g
1956 ausgegraben in Shizhaishan, Jinning
[M 12 : 11]

Eine dreifach profilierte Rippe verläuft über die gesamte Länge der langgezogenen rechteckigen Klinge. Die leicht konische, mit konzentrischen «Sonnen»-, «Wolken»- und Dreiecksornamenten verzierte Tülle, die zur Aufnahme eines runden Holzschaftes diente, ist mit vollplastischen Tierfiguren geschmückt. Ein Tiger und ein Wildschwein stehen sich zähnefletschend in agressiver Drohgebärde gegenüber. Zwischen ihnen ringeln sich zwei ineinander verschlungene Schlangen. Die in ihrer gespannten Haltung vortrefflich beobachteten Tierfiguren gehören zu den schönsten Tierplastiken der Dian-Bronzekunst.
Diese prachtvoll verzierte Hellebarde hat wohl nicht als Waffe, sondern vielmehr als Ehrenzeichen gedient, das die Leibgarde des Dian-Königsclans mit sich führte.

32

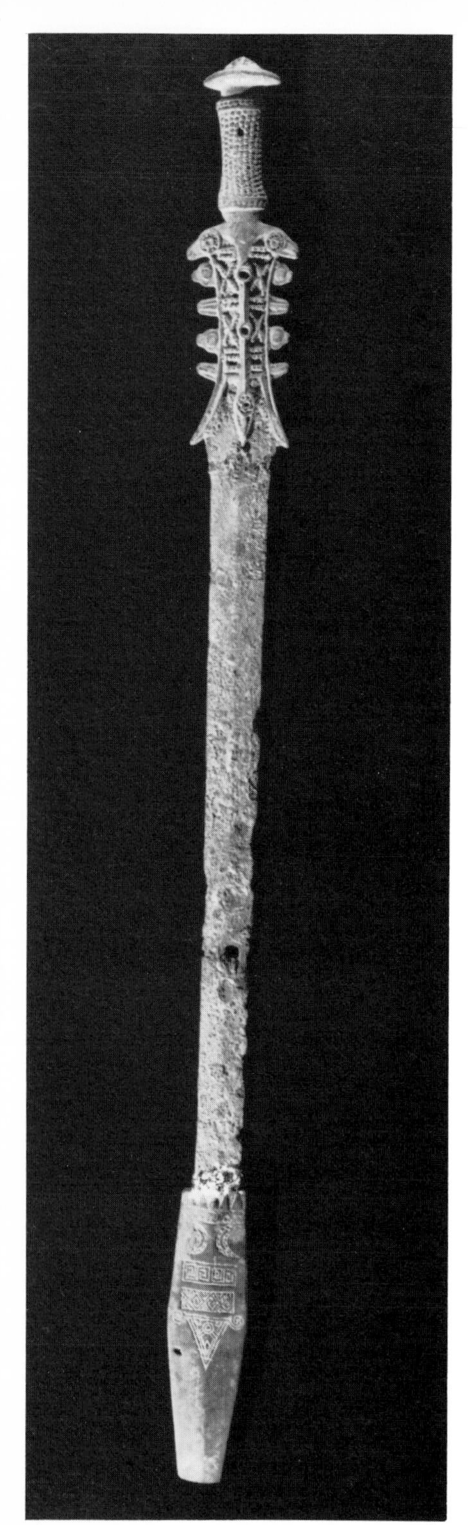

33

33

***Jian*-Eisenschwert mit Bronzegriff und dazugehöriger Scheide für die Schwertspitze**
Mitte der Westlichen Han-Dynastie,
ca. 150–50 v. Chr.
Bronze und Eisen, L. 68,5 cm
Gewicht des Schwertes 559 g,
Scheidenspitze 208 g
1972 ausgegraben in Lijiashan, Jiangchuan
[M 26 : 14]

Der für diesen Schwerttyp charakteristische hohle Griff mit ovalem Querschnitt ist mit einem Punktdekor verziert. Der langgestreckte, ornamental reliefierte Klingenansatz endet beidseitig in einer dreifachen Gabelung. Solche *jian*-Schwerter erscheinen erstmals während der Westlichen Han-Dynastie unter den Funden von Shizhaishan. Darunter finden sich auch Exemplare mit zugehöriger Scheide, bei denen jedoch nur die Spitze aus Bronze besteht. Solche Schwerter dürften weit verbreitet gewesen sein; auch im Westen der heutigen Provinz Sichuan fand man Schwerter dieses Typs.

34

Lange Lanzenspitze vom Typ *mao*
Späte Chunqiu-Periode,
ca. 6. Jh. – frühes 5. Jh. v. Chr.
Bronze, L. 66,5 cm, B. 8 cm
Gewicht 1,15 kg
1972 ausgegraben in Lijiashan, Jiangchuan
[M 24 : 18]

Diese wohl als Ritualwaffe verwendete schwere, ungewöhnlich lange Lanzenspitze ist in einem lanzettförmigen Dekorfeld mit feinen Fadenreliefs durch S-förmige Spiralen verziert. Zwei parallele, dünne Reliefgrate, sogenannte «Bogensehnen», die zu beiden Seiten in Ösen übergehen, stehen quer zur sich leicht konisch öffnenden Schafttülle.

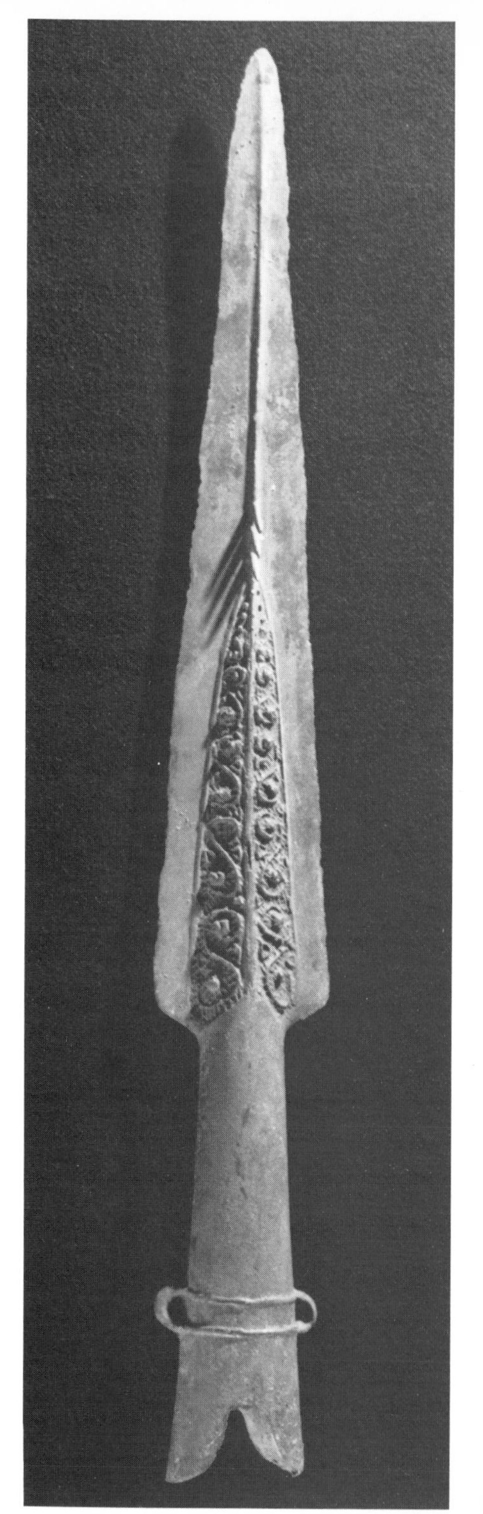

34

35
Rundaxt vom Typ *qi*
Späte Chunqiu-Periode,
ca. 6. Jh. - frühes 5. Jh. v. Chr.
Bronze, L. 19,8 cm
Gewicht 171 g
1972 ausgegraben in Lijiashan, Jiangchuan
[M 24 : 9]

Die flache, scheibenförmige Klinge der Rundaxt ist unverziert. Auf der Oberkante der Fassung, die einen ovalen Querschnitt aufweist, ist ein mit feinen Linien von Kopf bis Fuss gestreiftes Fabelwesen mit langem, eingezogenem Schwanz angebracht.

36
Kurzschwert vom Typ *jian* mit einem Griff in Form einer Schlange
Späte Westliche Han-Dynastie, ca. 1. Jh. v. Chr.
Bronze, L. 31,5 cm, B. 7 cm
Gewicht 249 g
1956 ausgegraben in Shizhaishan, Jinning
[M 7 : 44]

Dieses für den Nahkampf bestimmte Kurzschwert besitzt eine schlanke Klinge. Der Griff ist in Gestalt eines vierfach gewundenen Schlangenkörpers gearbeitet, der in einem ovalen Schlangenkopf endet. Der weit aufgerissene Rachen, der mit spitzen Zähnen bestückt ist, das feine Schuppenmuster sowie das weit geöffnete Augenpaar verleihen dem Tier einen lebendigen Ausdruck.
Jian-Schwerter dieses Typs zählen zu den am häufigsten gefundenen Waffen aus den Gräbern der Dian.

37
Gegabelte Lanzenspitze in Gestalt eines Schlangenkopfes
Mitte der Westlichen Han-Dynastie,
ca. 150–50 v. Chr.
Bronze, L. 30 cm
Gewicht 610 g
1956 ausgegraben in Shizhaishan, Jinning
[M 3 : 11]

Die röhrenförmige Tülle für den Schaft dieser Waffe ist einem Schlangenkopf nachgebildet, wobei der Hals, der in den Kopf übergeht, mit einem naturalistischen Schuppenmuster verziert ist. Aus dem geöffneten Rachen der Schlange ragt in Form einer riesigen, gespaltenen Zunge die Doppelspitze der Klinge hervor.

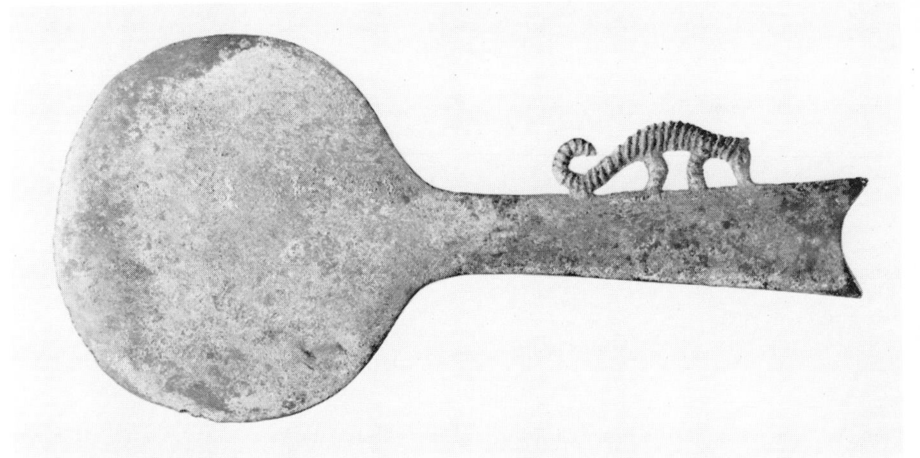
35

36

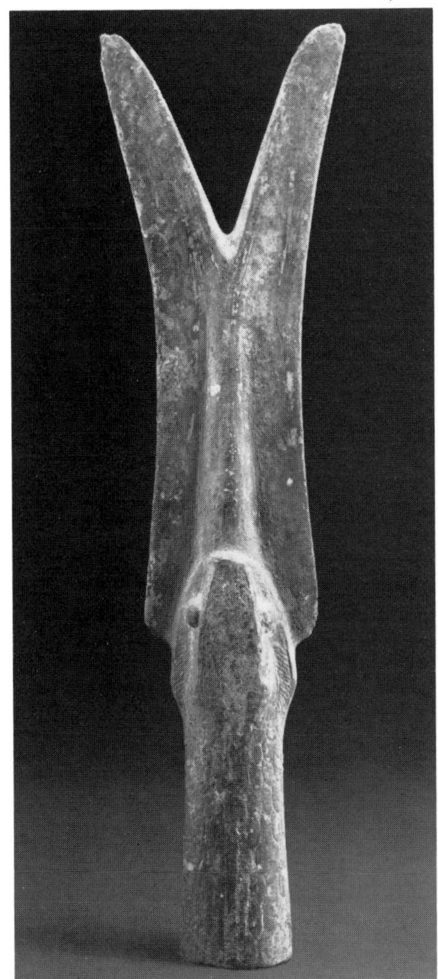
37

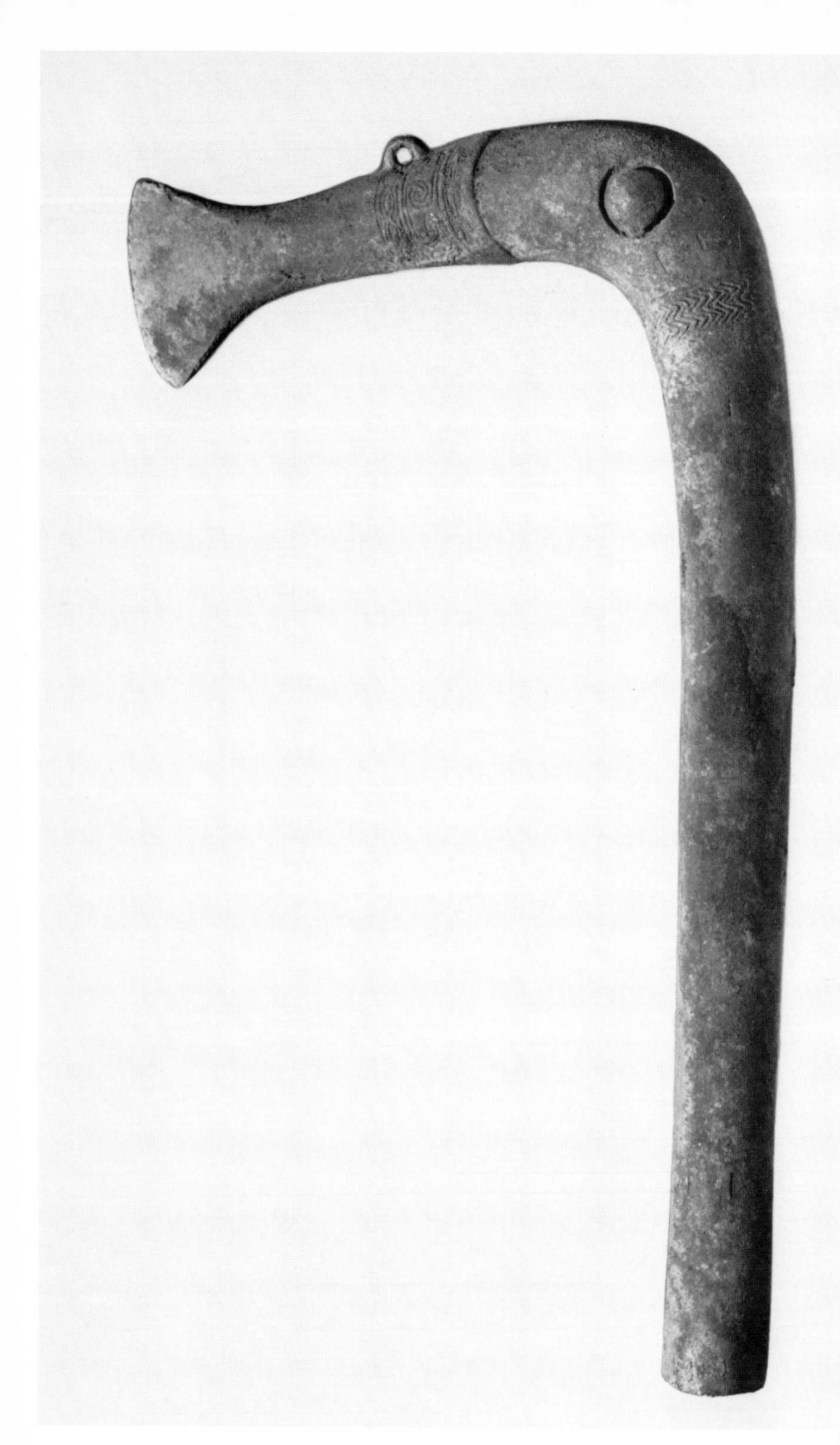

38

38
***Fu*-Axt mit gebogenem Griffteil**
Späte Chunqiu-Periode,
ca. 6. Jh. – frühes 5. Jh. v. Chr.
Bronze, L. 12 cm
Gewicht 937 g
1972 ausgegraben in Lijiashan, Jiangchuan
[M 24 : 19]

Die Ritualwaffe besitzt einen gebogenen, im Querschnitt elliptischen Bronzegriff, der mit einem Zickzackband und einem runden «Auge» verziert ist. Die Klinge ist entlang ihres Ansatzes mit ornamentalen Flachreliefs geschmückt und besitzt an der oberen Seite eine kleine Öse.

39
***Yue*-Breitaxt, dekoriert mit der Figur eines Äffchens**
Mitte der Westlichen Han-Dynastie,
ca. 150–50 v. Chr.
Bronze, L. 14,5 cm, B. (der Klinge) 20 cm
Gewicht 390 g
1956 ausgegraben in Shizhaishan, Jinning
[M 12 : 128]

Die Breitaxt in Form einer Mondsichel mit einer konischen, im Querschnitt elliptischen Tülle für den Schaft dürfte als Ritualwaffe gedient haben. Wiederum ist in Gravurlinien die Tülle mit geometrischen Ornamenten verziert: Schnur- und «Wolken»-Muster ziehen sich um die Tülle, und ein dreieckiges Rhombenornament ragt vom Ansatz der Schafttülle in die elegant geschwungene Klinge hinein.
An der Seite der Tüllenfassung ist die rundplastische Figur eines emporkletternden Äffchens angebracht, das nach dem Kopf einer Schlange beisst.

40
Streitaxt vom Typ *fu*
Späte Chunqiu-Periode,
ca. 6. Jh. – frühes 5. Jh. v. Chr.
Bronze, L. 13 cm
Gewicht 312 g
1972 ausgegraben in Lijiashan, Jiangchuan
[M 24 : 27]

Das Tüllenbeil ist in feinen Gravurlinien mit zwei umlaufenden Dekorfriesen sowie einem froschähnlichen Fabelwesen mit langem Schwanz verziert.

41
***Yue*-Breitaxt, dekoriert mit einer menschlichen Figur**
Mitte der Westlichen Han-Dynastie,
ca. 150–50 v. Chr.
Bronze, L. 16 cm, B. (der Klinge) 13,6 cm
Gewicht 329 g
1956 ausgegraben in Shizhaishan, Jinning
[M 16 : 15]

Die nach zwei unterschiedlich langen Seiten gerundet auslaufende Klinge ist undekoriert. Die Schafttülle dagegen zeigt wiederum umlaufende «Wolken»- und Schnurornamente. An der Tülle ist seitlich die Figur eines sitzenden Menschen fixiert; sie trägt einen flachen Hut und einen um die Taille gebundenen Gürtel. Beide Hände ruhen auf den Knien.

42
***Yue*-Breitaxt**
Westliche Han-Dynastie
(206 v. Chr. – 9 n. Chr.)
Bronze, L. 11,2 cm, B. (der Klinge) 11,8 cm
Gewicht 231 g
Ausgegraben in Shizhaishan, Jinning
[Streufund]

Diese als Waffe verwendete Breitaxt mit einer kräftigen Tülle von ovalem Querschnitt besitzt eine auf zwei Seiten in unterschiedlicher Länge auslaufende Klinge. Dieser *yue*-Typ ist bei den Dian selten anzutreffen. Hingegen war diese Axtform in der weiter südlich gelegenen Dong-son-Kultur weit verbreitet.

39

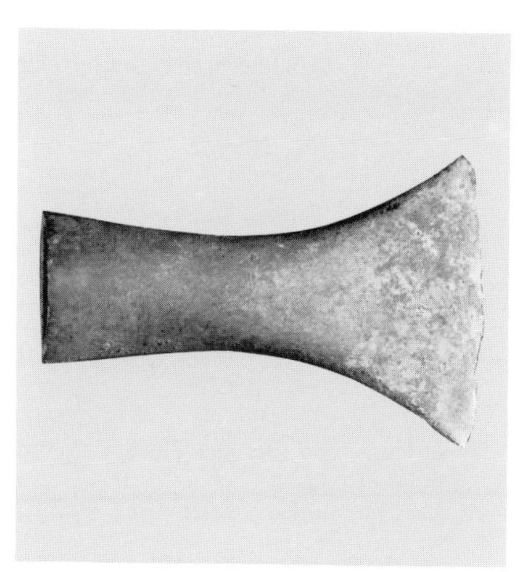

40

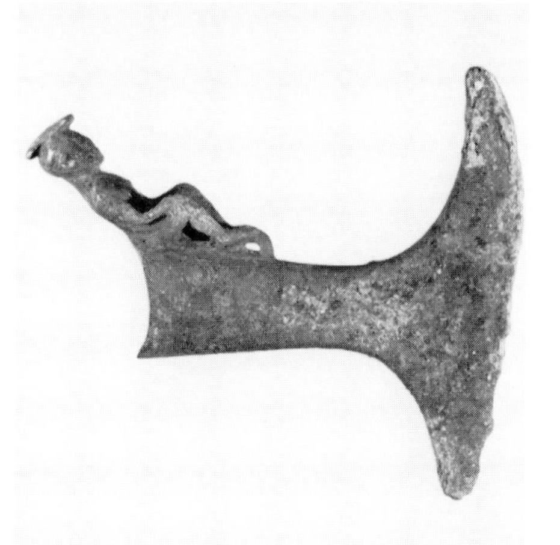

41

42

43

44

43
Durchbrochen gearbeiteter Hammerkopf
Späte Chunqiu-Periode,
ca. 6. Jh. - frühes 5. Jh. v. Chr.
Bronze, H. 10,2 cm, L. 23,5 cm
Gewicht 416,5 g
1972 ausgegraben in Lijiashan, Jiangchuan
[M 34 : 111]

Der wohl als Zeremonialwaffe verwendete Hammerkopf war ursprünglich an einem Holzgriff befestigt. Der zylindrische, hohle Hammerkopf wird von einem rautenförmigen, durchbrochen gearbeiteten Bronzegeflecht gebildet.

44
Mit «Wolfszähnen» besetzte Keule vom Typ *bang*
Späte Chunqiu-Periode,
ca. 6. Jh. - frühes 5. Jh. v. Chr.
Bronze, L. 45,2 cm, D. 5 cm
Gewicht 1,62 kg
1972 ausgegraben in Lijiashan, Jiangchuan
[M 21 : 114]

Die in ihrem oberen Teil mehrfach abgekantete Keule ist mit zehn Reihen spitzer Stifte besetzt (sog. «Wolfszähne»). Auf dem Scheitel der Keule steht die vollplastische Figur eines kleinen Hundes. Die röhrenförmige Tülle, die zur Aufnahme eines Holzschaftes diente, endet in einem dreifach gelappten Saum.

45
Lanzenspitze in Kombination mit einer «Wolfszahnkeule» vom Typ *bang*
Späte Chunqiu-Periode,
ca. 6. Jh. - frühes 5. Jh. v. Chr.
Bronze, L. 16 cm, D. 2,5 cm
Gewicht 453 g
1972 ausgegraben in Lijiashan, Jiangchuan
[M 24 : 16]

Die lanzettblattförmige Lanzenspitze ist in eine achteckige Keule, die mit 16 Reihen von «Wolfszähnen» bestückt ist, eingelassen. Die Kombination zweier Waffentypen erlaubte eine doppelte Verwendung dieses Geräts, nämlich einerseits als Stich- und andererseits als Hiebwaffe.

46

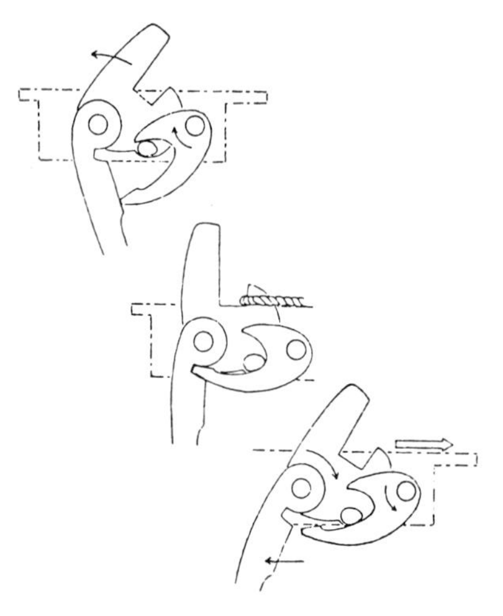

Abzugmechanismus

46
Abzugmechanismus einer Armbrust *(nuji)*
Mittlere bis späte Westliche Han-Dynastie, ca. 150 v. Chr. - 9 n. Chr.
Bronze, H. 17,4 cm, L. 10,5 cm
Gewicht 717,5 g
1972 ausgegraben in Lijiashan, Jiangchuan
[M 3 : 61]

Als eine über weite Distanzen wirksame Waffe war die Armbrust eine während der Han-Zeit in China weit verbreitete Waffe. Der Abzugmechanismus erlaubte das plötzliche Ausklinken der gespannten Bogensehne, wodurch der Pfeil oder Bolzen mit grosser Kraft abgeschossen werden konnte.

Das vorliegende Beispiel eines solchen Mechanismus ist mit grosser technischer Präzision hergestellt und trägt eine eingekerbte Inschrift: *Henei gongguan erbai ershi bing (Henei Produktionsstätte III, 220).* Im *Dili*-Kapitel des *Hanshu,* der «Geschichte der Han-Dynastie», heisst es, dass im Jahr 208 v. Chr. die Provinz Henei konstituiert wurde. Der Abzugmechanismus ist wohl im Bezirk Zhihuai, dem heutigen Distrikt Wuzhi in Henan, in einer kaiserlichen Werkstatt entstanden. Dieses mehr als 2000 Jahre alte Importstück aus dem chinesischen Kernland liefert einmal mehr den Beweis für die engen Kontakte der Dian-Kultur mit den Zentren der Han-Zivilisation.

In den «HistorischenAufzeichnungen», dem *Shiji,* wird über die Schlacht bei Maling zwischen den Königreichen Qi und Wei berichtet. Es heisst dort, «zehntausend der sicher treffenden Armbrustschützen der Qi» hätten die enge Strasse nach Maling besetzt gehalten und der Wei-Armee eine so schwere Niederlage zugefügt, dass die Wei-Soldaten es vorgezogen hätten, sich selbst das Leben zu nehmen. Diese Textstelle bezeugt die überaus wichtige militärische Bedeutung der Armbrustschützen schon in der Zhanguo-Periode (481–222 v. Chr.). Aus jener Zeit ist allerdings für Yünnan die Armbrust noch nicht nachgewiesen, denn unter den Waffen aus den frühen Gräbern in Shizhaishan und Lijiashan hat man neben den *ge*-Dolchäxten, den *mao*-Lanzenspitzen, den *jian*-Schwertern und *fu*-Äxten keine Armbrustfragmente gefunden. Bei unserem Beispiel handelt es sich um das früheste im Dian-Kontext gefundene Exemplar. Visiere der Armbrustmodelle aus der Zhanguo-Periode bestehen aus einem nicht sehr hohen Dorn; solche aus der Han-Dynastie hingegen weisen, wie dieses Beispiel, ein nahezu rechteckiges Visier auf.

Schmuck und Gerät

47

Gürtelschmuckscheibe mit Achat-, Jade- und Malachiteinlagen

Mitte der Westlichen Han-Dynastie,
ca. 150–50 v. Chr.
Bronze; Jade-, Achat- und Malachiteinlagen
D. 17,5 cm
Gewicht 431 g
1956 ausgegraben in Shizhaishan, Jinning
[M 15 : 17]

Die Schauseite der kreisrunden Schmuckplatte ist in der Mitte mit einem grossen Achatknopf verziert. Auf eine schmale Zone mit eingelegten Malachitplättchen folgt ein glatter Jadering. In einem anschliessenden breiten Band mit symmetrischem «Wolkendekor» aus Malachitplättchen waren ursprünglich acht runde, bossenartig vorstehende Achateinlagen angebracht, von denen noch vier erhalten geblieben sind. Das Zusammenspiel der verschiedenfarbigen eingelegten Materialien und der Bronze verleiht der Gürtelscheibe einen besonders reizvollen dekorativen Effekt von geradezu schillernder Vielfalt.
Die Rückseite weist den üblichen Haken zur Befestigung am Gewand auf. Schon beim Guss der Bronzebasis hat man vertiefte Aussparungen vorgesehen, die dann die Achat- und Malachiteinlagen aufzunehmen hatten. Mit einem schwärzlichen Klebstoff wurden die Einlagen in den entsprechenden Vertiefungen befestigt.

48

49

48

Stangenaufsatz mit einer knienden Frau

Zhanguo-Periode (481–222 v. Chr.)
Bronze, H. 18 cm
Gewicht 332 g
1972 ausgegraben in Lijiashan, Jiangchuan
[M 18 : 1]

Diese vollrund modellierte Bronzeplastik dürfte ursprünglich wohl als schmückender Aufsatz einer Stange, vielleicht als eine Art Ehrenzeichen, gedient haben. Auf der röhrenförmigen Tülle, die einen Hohlschaft aufnehmen konnte, kniet eine Frau auf einem Sockel in Form einer Miniaturtrommel. Ihre Gesichtszüge wirken, wie bei auffallend vielen Menschendarstellungen im alten China zu beobachten ist, fast ein wenig negroid: die Frau hat einen schmalen, etwas vorstehenden Mund mit wulstigen Lippen, eine breite, akzentuierte Nase, ausgeprägte Wangenknochen, weit geöffnete Augen, horizontale Augenbrauen und eine niedrige Stirn mit geradem Haaransatz. Ihr langes Haar, das von einer Spange oder Schlaufe auf Schulterhöhe zusammengehalten wird, fällt weit über den Rücken hinunter. Sie trägt grosse, schwere Ohrringe, ein kurzes, verziertes Obergewand, das den Hals freilässt, sowie breite, mehrteilige Armringe (Kat. Nr. 49). Ihr rechter Arm hängt ausgestreckt nach unten, und mit ihrer linken Hand fasst sie sich an die Brust.

49

Zwei vierteilige Sätze von Armreifen

Zhanguo-Periode (481–222 v. Chr.)
Bronze mit Türkiseinlagen
D. 5,6 cm–6,7 cm
Gewicht 639 g
1972 ausgegraben in Lijiashan, Jiangchuan
[M 23 : 23]

Jeder Ring ist auf der Aussenseite mit unzähligen kleinen, mosaikhaft eingelegten Türkisplättchen geschmückt. Diese sind übereinander zu sechs umlaufenden, in der Mitte durch einen Bronzesteg unterbrochenen Reihen angeordnet. Prächtige Schmuckringe dieser Art wurden offenbar von eleganten Damen des Dian-Volkes an den Handgelenken getragen, wie dies bei der kleinen Bronzeplastik einer knienden Frau (Kat. Nr. 48) nachzuprüfen ist. Dabei scheinen mehrere Ringe jeweils ein stulpenähnliches Ensemble gebildet zu haben.

50

50

Gürtelschmuckscheibe in Form eines radschlagenden Pfaus

Mitte der Westlichen Han-Dynastie,
ca. 150–50 v. Chr.
Bronze mit Malachiteinlagen
D. 16,6 cm
Gewicht 408 g
1956 ausgegraben in Shizhaishan, Jinning
[M 13 : 37]

Dieser künstlerisch äusserst raffiniert gestaltete Gürtelschmuck in Form eines Pfaus entfaltet sich in drei Dimensionen. Kopf, Hals und Brust des Vogels treten vollplastisch hervor, die zu einem Rad aufgestellten Schwanzfedern und die Füsse hingegen werden in feinem Fadenrelief linear zeichnerisch auf der flachen Scheibe abgebildet. Eng aneinander gefügte Reihen von Malachitplättchen füllen den Hintergrund aus. Der rückseitige Haken diente zur Befestigung an einem Gewand.
Bei den Dian waren derartige auf Taillenhöhe getragene Gürtelplatten weit verbreitet. Die vielen mit Menschen- und Tierdarstellungen verzierten Schmuckscheiben vermitteln wertvolle Aufschlüsse über die materielle Kultur, die Sitten und Gebräuche der Dian bis hin zur persönlichen modischen Ausstattung.

51

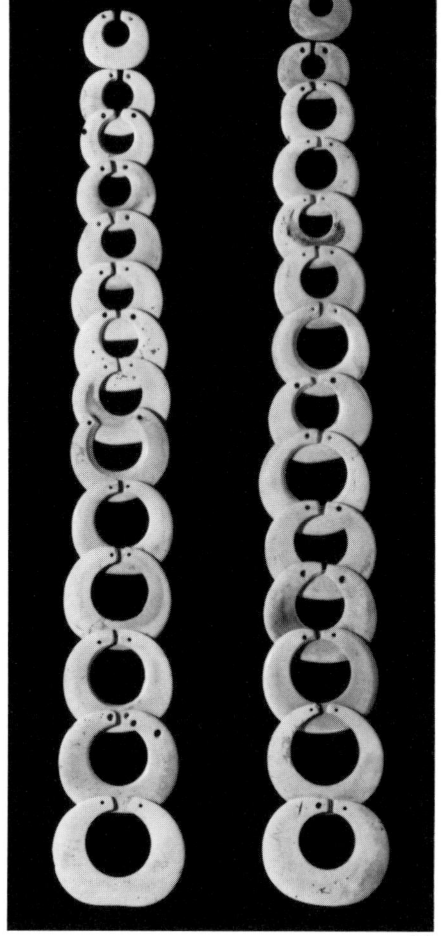

52

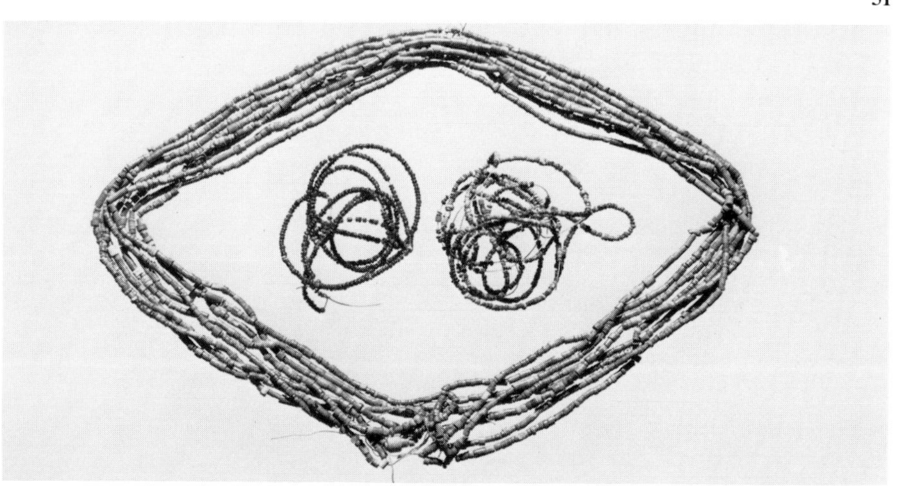

53

51
Zehn Achat-Zierknöpfe
Mitte der Westlichen Han-Dynastie,
ca. 150–50 v. Chr.
Achat, D. 3 cm–5,5 cm
Gewicht 7 g–43 g
1956 ausgegraben in Shizhaishan, Jinning
[M 12]

Solche Bossenknöpfe aus Halbedelsteinen dienten den Dian zum Schmuck ihrer Gürtel oder Gewänder. Zwei Bohrlöcher auf der Unterseite erlaubten es, die Zierknöpfe problemlos auf einer Leder- oder Stoffunterlage anzunähen.

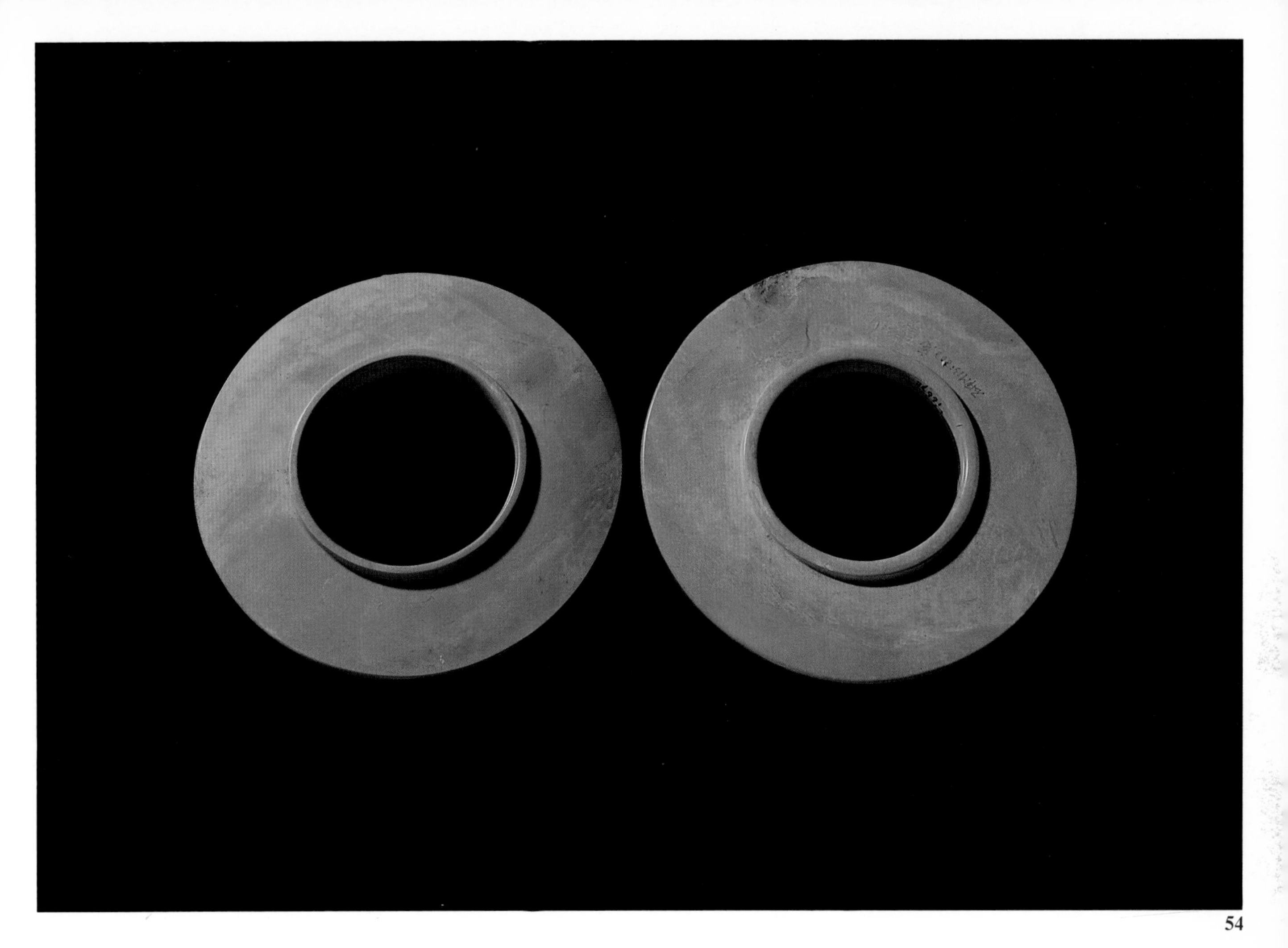

54

52
Ein Paar Ohrgehänge aus Jade
Mitte der Westlichen Han-Dynastie,
ca. 150–50 v. Chr.
Nephrit, D. 2,2 cm–4 cm
Gewicht 53 g
1956 ausgegraben in Shizhaishan, Jinning
[M 13 : 15]

Jedes der beiden Ohrgehänge besteht aus 14 annähernd ringförmigen, exzentrisch gelochten und an einer Stelle durchbrochenen Jadeplättchen von zunehmender Grösse. Alle Scheibenringe besitzen nahe ihrem Einschnitt zwei kleine Bohrlöcher, durch die ein Faden zur Aneinanderkettung der Einzelteile gezogen werden konnte.

53
Ketten aus Türkis- und Glasperlen
Westliche Han-Dynastie (206 v. Chr. - 9 n. Chr.)
Türkis und farbiges Glas
Türkisperlen D. 0,2–0,5 cm
Glasperlen D. 0,2 cm
Gesamtgewicht 256 g
1956 ausgegraben in Shizhaishan, Jinning

Die Ketten bestehen aus dünnen, röhrenförmigen Perlen von unterschiedlicher Länge, die teils aus Türkis, teils aus Glas hergestellt sind. Aus einem anderen Grabfund in Lijiashan sind weitere Ketten mit mehr als 1000 ungleich geformten Türkis-, Achat- und Jadeperlen bekannt.

54
Zwei Jaderinge
Mitte der Westlichen Han-Dynastie,
ca. 150–50 v. Chr.
Nephrit, D^1. 12,8 cm, D^2. 12,4 cm
Gewicht 106 g, 97,5 g
1956 ausgegraben in Shizhaishan, Jinning
[M 13 : 202], [M 13 : 194]

Die beiden bräunlichen Jaderinge, die in demselben Grab gefunden wurden, besitzen einen leicht erhöhten Innenrand.

55

55

Zylindrischer Nadelbehälter, dekoriert mit einem stehenden Hirsch auf dem Deckel
Zhanguo-Periode (481–222 v. Chr.)
Bronze, H. 27,5 cm
Gewicht 318 g
1972 ausgegraben in Lijiashan, Jiangchuan
[M 11 : 4]

Die hohe, röhrenförmige Büchse, die zur Aufbewahrung von Nähnadeln diente, besitzt einen kraftvollen Dekor aus S-förmigen «Schlangenornamenten». Auf dem Deckel, der präzise die Büchse verschliesst, steht ein vollplastisch gestalteter Hirsch mit stolz erhobenem Haupt und einem prachtvollen Geweih.

56

Schatzbehälter oder Nähschatulle mit fünf aufgesetzten Rinderfiguren auf dem Deckel
Späte Chunqiu-Periode,
ca. 6. – frühes 5. Jh. v. Chr.
Bronze, H. 31,2 cm
Gewicht 2,48 kg
1972 ausgegraben in Lijiashan, Jiangchuan
[M 24 : 35]

Solche Deckeltöpfe dienten zur Aufbewahrung von Kaurischnecken oder auch als Nähschatullen; denn man fand in solchen Gefässen auch Bambus-Nähnadeln. Das unten runde Gefäss steht auf vier kurzen Füssen. Die nach oben ausschwingende Leibung geht an ihrer weitesten Stelle in eine abgerundete Viereckform über. Um den Gefässkörper herum verlaufen verschiedene Dekorbänder, von denen einige an textile Webmuster erinnern. Den gewölbten Deckel ziert ein spiralig verlaufendes «Schlangenornament». Vier vollrunde Tierplastiken stehen am Rand des gewölbten Deckels, der bekrönt wird von einer mächtigen, vollplastischen Rinderfigur. Die Körper der Tiere sind mit einem eleganten linearen «Wolkendekor» verziert. Durch die Anordnung der vier kleineren Rinder in einer Richtung, nämlich gegen den Uhrzeigersinn, erhält das ungewöhnliche Deckelgefäss ein latentes Rotationsmoment, zu dem letztlich auch dezente Bandornamente in feinem Linienrelief beitragen.

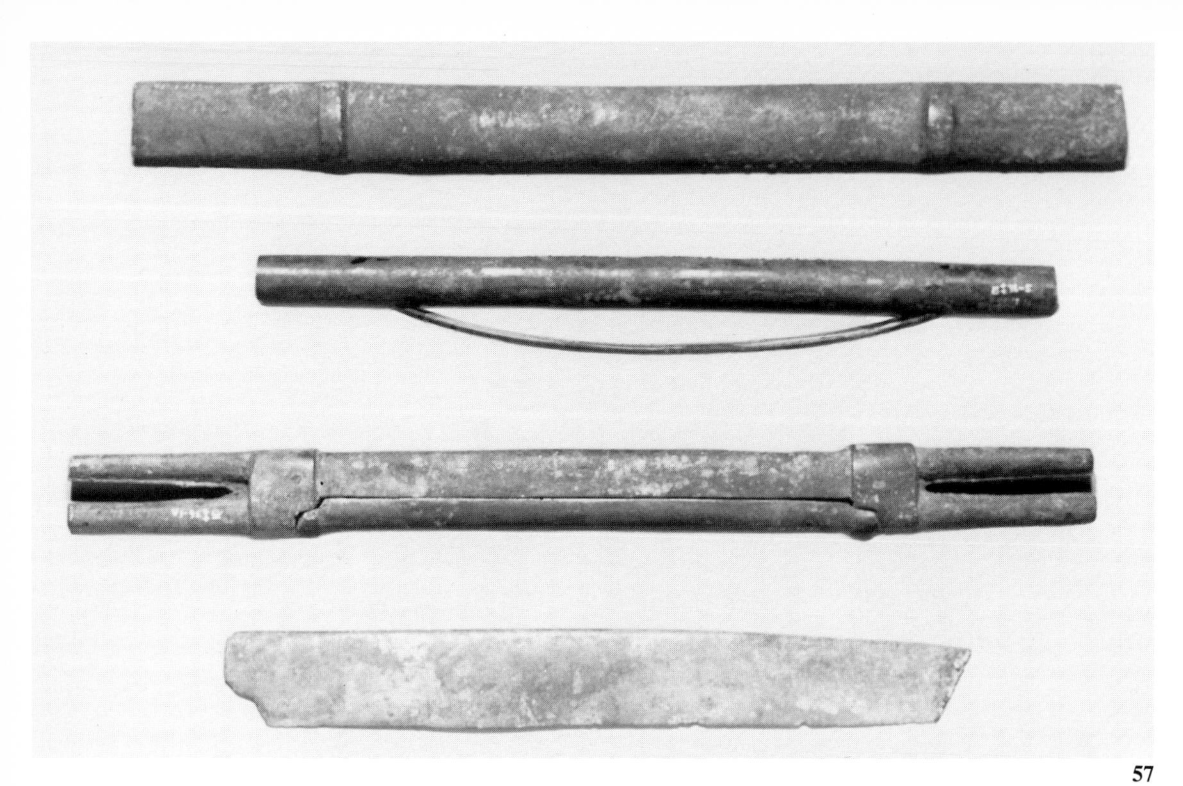

57

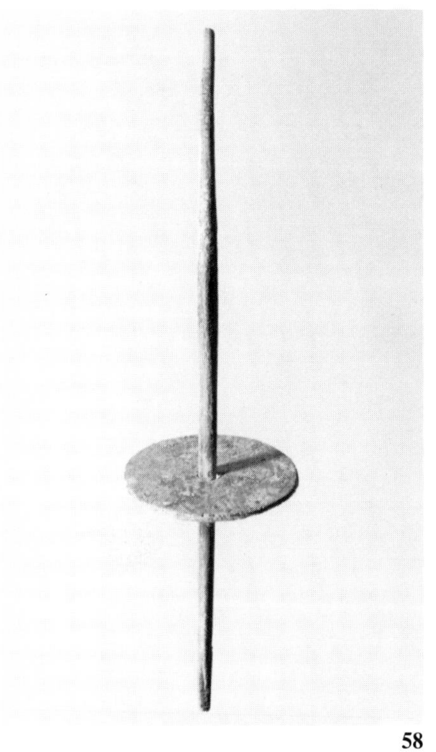

58

59

57

Zubehör eines Flachwebstuhls *(qu)*

Mitte der Westlichen Han-Dynastie,
ca. 150–50 v. Chr.
Bronze
1956 ausgegraben in Shizhaishan, Jinning
[M 17 : 19]

1. Kettbaum
L. 45,3 cm, D. 3,8 cm, Gewicht 584 g
Der einem Bambusrohr nachgebildete Kettbaum ist zur Hälfte geschlitzt und hat einen Querschnitt in Form eines Halbmondes. Mit Hilfe des unter die Füsse geschobenen Kettbaums und des an der Taille befestigten Brustbaums konnten die Kettfäden straff gehalten werden, wobei die abgeflachte Seite des Kettbaums unter die Füsse zu liegen kam.
2. Trennstab
L. 36 cm, D. 2 cm, Gewicht 350 g
Das röhrenförmige Objekt besitzt an beiden Enden quadratische Öffnungen. Mit Hilfe des Trennstabes konnten die geraden von den ungeraden Kettfäden getrennt werden. Dadurch wurden ein planmässiges Durchlaufen des Schusses und eine regelmässige Webart gewährleistet. Der Trennstab, wie ihn die Dulong-Minorität im Bezirk Gongshan in Yünnan verwendet, wird noch immer in ähnlicher Ausführung hergestellt.
3. Zweiteiliger Brustbaum
L. 46 cm, D. 3,3 cm, Gewicht 1,35 kg
Der stabähnliche, an beiden Enden gegabelte Brustbaum weist in seiner Mittelpartie eine Aussparung auf, in die ein längliches Plättchen eingepasst ist; dieses diente zur Aufnahme und Fixierung der Kettfäden. Sobald eine gewisse Länge gewoben war, konnte die Stoffbahn auf den Brustbaum aufgewickelt werden. Der Brustbaum, der bis in die fünfziger Jahre unseres Jahrhunderts von den Dulong verwendet wurde, entspricht ziemlich genau diesem Beispiel aus der Dian-Zeit.
4. Schwert zum Anschlagen der Schussfäden
L. 44,5 cm, B. 4,3 cm, Gewicht 291 g
Das Webschwert wurde zum Anschlagen des Schussfadens gebraucht. Dabei wurde der lose durch den Zettel geführte Schussfaden kräftig gegen den Brustbaum angeschlagen, so dass ein dichtes Gewebe entstand. Bei denjenigen Völkern in Yünnan, die heute noch den *qu*-Webstuhl verwenden, sind ähnliche Schwerter, allerdings aus Bambus, in Gebrauch geblieben.

58

Spinnwirtel

Zhanguo-Periode (481–222 v. Chr.)
Bronze, L. 17,2 cm, D. der Scheibe 4,7 cm
Gewicht 35,5 g
1972 ausgegraben in Lijiashan, Jiangchuan
[M 22 : 23]

Es handelt sich hier um ein zum Spinnen verwendetes Gerät mit einer Scheibe, die als Gewichtstein die Rotation des Wirtels erleichterte.

Drei Weberinnen an Flachwebstühlen. Umzeichnung einer Figurengruppe auf dem Deckel eines Schatzbehälters, Shizhaishan [M 1 : 3].

59

Haspel

Zhanguo-Periode (481–222 v. Chr.)
Bronze, L. 15,6 cm
Gewicht 163 g
1972 ausgegraben in Lijiashan, Jiangchuan
[M 11 : 2]

Diese zum Aufrollen des gesponnenen Garns dienende Haspel wurde beim Spinnen in der einen Hand gehalten, während die andere das durch den Spinnwirtel gezwirnte Garn fasste. Bis in die fünfziger Jahre unserer Jahrhunderts verfuhren die Wa aus dem Cangyuan-Bezirk bei der Verarbeitung des Garns folgendermassen: Sie tauchten das zum Weben bestimmte Baumwollgarn zwei Stunden lang in klares Wasser, wrangen es aus und kochten es dann in «rotem Reis». Darauf wurden die Stränge im Freien aufgehängt und getrocknet, wobei sie mit Hölzern beschwert wurden, um sie zu strecken. Nach dieser Behandlung war das Garn zum Weben bereit. Im *Yishu,* dem «Buch über die Bekleidung», des Wang Zhen aus der Yuan-Dynastie (1279–1368) wird ein ähnliches Verfahren beschrieben. Ganz allgemein gilt, dass Baumwoll- oder Hanffasern vor dem Verarbeiten mit Stärke, wie sie auch im Reis vorhanden ist, behandelt wurden; dies verlieh dem Gewebe einen gewissen Glanz und erhöhte die Reissfestigkeit. In Japan, in Kikugawa, Präfektur Shizuoka, sind ähnliche Haspeln ausgegraben worden. Die aus der Yayoi-Periode (ca. 200 v. Chr. – 250 n. Chr.) stammenden Funde zeigen, dass dort etwa zur gleichen Zeit ähnliche Geräte im Textilhandwerk verwendet wurden.

60

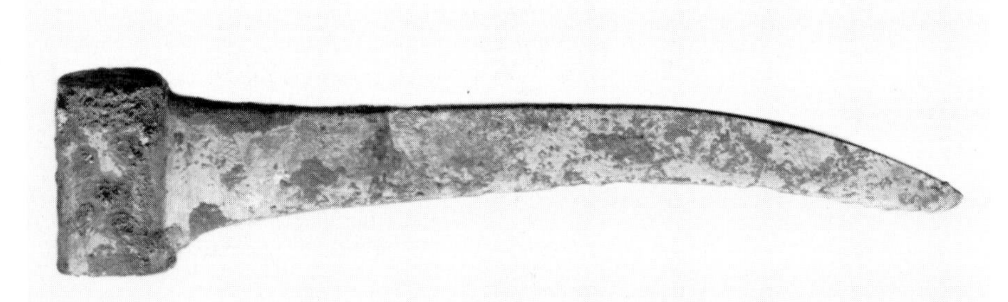

61

62

60

Erntemesser vom Typ *zhua*

Zhanguo-Periode (481–222 v. Chr. oder frühe Westliche Han-Dynastie, ca. 2. Jh. v. Chr.
Bronze, H. 4 cm, L. 10,6 cm
Gewicht 32 g
1974 ausgegraben in Shibeicun, Longjie bei Chenggong
[M 99 : 5]

Die flache Schneide dieses Erntemessers ist nach hinten aufgebogen und weist zwei runde Aussparungen auf. Formal erinnert es an Prototypen aus Stein und Muschel. Eine durch die Löcher gezogene und beim Gebrauch um die Hand geschlungene Schnur erleichterte die sichere Führung dieses wie eine Sichel verwendeten *zhua,* mit dem nur der obere Teil der Halme mit den reifen Ähren geerntet wurde. Die Gewohnheit, nur die reifen Ähren abzuschneiden, lässt sich bis zum heutigen Tag beim Volk der Jingpo in Yünnan beobachten. Im Bezirk Funing derselben Provinz ist jetzt noch immer ein gebogenes Erntemesser im Gebrauch, das in Gestalt und Handhabung dem vorliegenden Gerät sehr ähnlich ist.

61

Sichel vom Typ *lian*

Mitte der Westlichen Han-Dynastie, ca. 150–50 v. Chr.
Bronze, L. 15,3 cm, D. der Tülle 3 cm
Gewicht 172,5 g
1956 ausgegraben in Shizhaishan, Jinning
[M 13 : 20]

Als dieses Erntemesser aufgefunden wurde, befanden sich noch Reste des hölzernen Stiels in der dafür vorgesehenen Fassung. Auf beiden Seiten der Klinge ist ein eingravierter Dekor erkennbar; er zeigt eine Schlange, die einen Fisch beisst. Die älteste, mehr als 3000 Jahre alte Sichel, die in Yünnan gefunden worden ist, stammt aus den Ausgrabungen von Haimenkou im Bezirk Jiangchuan. Auch heute noch ist in manchen Gegenden der Provinz ein Werkzeug von vergleichbarer Gestalt in Gebrauch. Die Sichel ist zum grössten Teil mit einer weisslichen Patina überzogen. Dieser nach mehr als 2000 Jahren immer noch leicht silbrige Glanz ist auf den hohen Zinngehalt der Bronzelegierung zurückzuführen. Ausserdem bewirkte die durch die Temperaturisolierung der Gussformen bedingte langsame Abkühlung eines Werkstückes, dass sich an seiner Oberfläche ein höherer Anteil an Zinn konzentrierte als in seinen inneren Partien.

62
Sichel vom Typ *lian* mit Eisenklinge und Bronzegriff
Mittlere oder späte Westliche Han-Dynastie, ca. spätes 2. Jh. – 1. Jh. v. Chr.
Eisen, Bronze L. 26,2 cm, L. der Klinge 8,5 cm
Gewicht 241 g
1972 ausgegraben in Lijiashan, Jiangchuan
[M 3 : 57]

An der schmalen Eisenklinge ist in einem stumpfen Winkel der eckig endende Griff aus Bronze befestigt. Möglicherweise diente die runde Aussparung im Griff zur Befestigung eines Stiels. Ein eckiges Spiralmuster oder *leiwen* (wörtlich «Donnermuster») füllt die Griffzone aus.
Der früheste Fund eines eisernen Objekts in der Provinz Yünnan stammt aus dem Grab Nr. 21 in Lijiashan, das in das sechste vorchristliche Jahrhundert datiert wird. Es handelt sich dabei um ein Schwert, das ebenfalls mit einem Bronzegriff versehen ist. Allerdings ist für die folgenden 300 Jahre keine kontinuierliche Eisenproduktion mehr nachzuweisen. Erst nach der Mitte der Westlichen Han-Dynastie erscheinen Eisen-Artefakte wieder in grösserer Zahl. Die *lian*-Sichel ist ein Beispiel für die Verwendung des Eisens für landwirtschaftliches Gerät im ersten vorchristlichen Jahrhundert.

63
Spitzhacke vom Typ *jue*
Mitte der Westlichen Han-Dynastie, ca. 150–50 v. Chr.
Bronze, H. 34,3 cm, B. 25 cm
Gewicht 1,46 kg
1956 ausgegraben in Shizhaishan, Jinning
[M 13 : 13]

Diese Spitzhacke weist ein ovales, nach unten spitz zulaufendes Blatt auf. Die runde Tülle setzt sich in einem spitzen, kegelförmigen Grat fort, der über die gesamte Länge des Blattes verläuft und mit «Wolkendekor» verziert ist. Solche Hacken hat man wohl auf stumpfwinklig gegabelte Holzstöcke montiert, wobei der längere Schaft als Griffteil gedient haben dürfte und der kürzere Teil in der bronzenen Tülle befestigt worden sein könnte.
Bei den Funden von Wanjiaba, Chuxiong, die in die Chunqiu-Periode (722–481 v. Chr.) zu datieren sind, hat man vergleichbare Geräte gefunden. Auch auf dem trommelförmigen Schatzbehälter mit der Szene eines Menschenopfers (Kat. Nr. 25) findet man eine Figur, die eine Spitzhacke trägt. Es handelt sich bei diesem *jue*-Typ um ein charakteristisches Ackerbaugerät der Dian-Kultur. Bei dem vorliegenden reich verzierten Exemplar könnte es sich auch um ein Ritual-Gerät handeln, wie es beispielsweise von der Königssippe der Dian bei Kulthandlungen zum Beginn der Aussaat eingesetzt wurde.

63

64

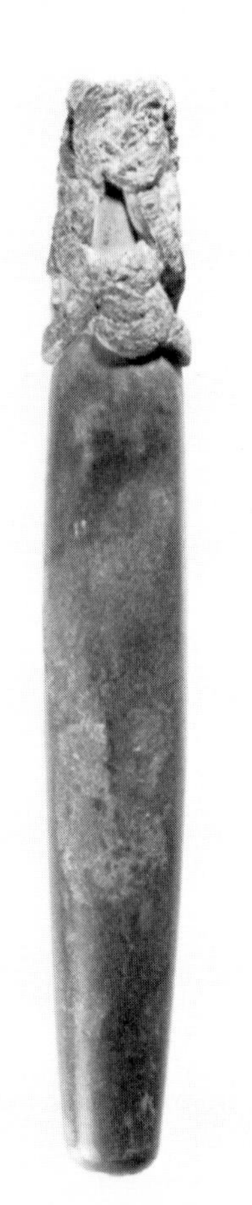

65

66

64
Hacke vom Typ *chu* mit konkav gewölbtem Blatt
Mitte der Westlichen Han-Dynastie,
ca. 150–50 v. Chr.
Bronze, H. 30,8 cm, B. 14 cm
Gewicht 1,15 kg
1956 ausgegraben in Shizhaishan, Jinning
[M 13 : 12]

Auch diese Hacke dürfte bei Kulthandlungen im Zusammenhang mit Ackerbauritualen eingesetzt worden sein. Das löffelartig geformte Gerät weist in der Blattmitte vier rautenförmige Löcher auf, und die Rückseite ist auf einem dreieckigen Dekorfeld mit Ringornamenten verziert. Nach der Form und nach der spitzen Neigung der viereckigen Griffassung zu urteilen, handelt es sich bei diesem *chu* um ein Werkzeug, mit dem Erde ausgehoben werden konnte.

65
***Zhui*-Hängegewicht aus Stein mit einer Bronzefassung**
Mitte der Westlichen Han-Dynastie,
ca. 150–50 v. Chr.
Stein und Bronze, L. 14,2 cm
Gewicht 110 g
1956 ausgegraben in Shizhaishan, Jinning
[M 13 : 107]

Dieses *zhui* soll zur Kleidung gehört haben, wo es als Gegengewicht bei der Befestigung einer Waffe oder eines schweren Schmuckstückes gedient haben könnte. Der Stein ist spindelförmig gestaltet und an einem Ende in Bronze gefasst. Die Fassung weist ausserdem ein Bohrloch auf, an dem das *zhui* aufgehängt werden konnte.

66
Sägeblatt *(ju)*
Mitte der Westlichen Han-Dynastie,
ca. 150–50 v. Chr.
Bronze, L. 22,2 cm, B. 4,8 cm
Gewicht 96 g
1956 ausgegraben in Shizhaishan, Jinning
[M 13 : 319]

Dieses Holzbearbeitungswerkzeug weist ein beinahe rechteckiges, fuchsschwanzartiges Blatt auf. Die Sägezähne sind fein, jedoch sehr unregelmässig geschnitten. Auf der breiteren Schmalseite befinden sich zwei Aussparungen zur Befestigung eines Griffes.

67
Hacke vom Typ *chu*
Mitte der Westlichen Han-Dynastie,
ca. 150–50 v. Chr.
Bronze, H. 20,5 cm, B. 11,4 cm
Gewicht 573 g
1956 ausgegraben in Shizhaishan, Jinning
[M 13 : 30]

Das flache, rechteckige Blatt dieser Hacke besitzt eine gerade Schneide, und vielleicht war daher das Werkzeug zum Jäten besonders geeignet. Die mit geometrischen Ornamenten in eingetieftem Linienrelief verzierte sich konisch zuspitzende Tülle verläuft im unteren Drittel des Blattes in dreifach gegabelte Grate. Zwischen diesen Graten sind in den beiden dreiekkigen Bildfeldern zwei fein gravierte, voneinander abgewandte Pfauen zu erkennen. Diese haben kräftige, abwärts gebogene Schnäbel und stolz aufgerichtete Schwanzfedern. Gleich manchen anderen verzierten Ackerbaugeräten dürfte auch diese Hacke bei Aussaatritualen verwendet worden sein.

67

68

Dekor der Ahle

68
Ahle *(zhui)*
Chunqiu-Periode (722–481 v. Chr.)
Bronze, L. 13,8 cm
Gewicht 59,5 g
1972 ausgegraben in Lijiashan, Jiangchuan
[M 24 : 43-5]

Die Ahle mit dem charakteristischen kugeligen Griff besitzt einen gut erhaltenen Dekor mit einer äusserst reizvollen, über die Wölbung der Ahle verlaufenden Pfauendarstellung. Die Rückseite zeigt die ornamentalen Schwanzfedern, während auf der Vorderseite der Oberkörper des Pfaus und eine Schlange zu sehen sind.

Mensch und Tier

Kampf, Jagd und Raub

69

Lanzenspitze vom Typ *mao* in Gestalt eines Frosches

Westliche Han-Dynastie (206 v. Chr. – 9 n. Chr.)
Bronze, L. 17 cm
Gewicht 395 g
1953 ausgegraben in Shizhaishan, Jinning [Streufund]

In die Tülle der Lanze und den Ansatz des kurzen, herzförmigen Blattes ist auf künstlerisch äusserst raffinierte Weise die Gestalt eines Frosches eingepasst. Rücken und Kopf des Frosches sind mit feinen «Wolken»- und Spiralmustern verziert.
Ein Sägezahnornament trennt den Kopf vom Hinterkörper. Diese wohl als Ritualwaffe verwendete Lanzenspitze überrascht durch die kraftvolle, lebendige Wiedergabe des Tiermotivs und bezeugt das hohe Niveau der Dian-Bronzekunst.

69

70
Schatzbehälter mit einem Rind, einem Tiger und drei Hirschen auf dem Deckel
Zhanguo-Periode (481–222 v. Chr.)
Bronze, H. 34,5 cm
Gewicht 3,42 kg
1972 ausgegraben in Lijiashan, Jiangchuan
[M 22 : 21]

Kaurischneckenbehälter dieser Art zählen zu den charakteristischen Statussymbolen der begüterten und landbesitzenden Oberschicht des Dian-Volkes. In den trommelförmigen Behältern wurden die als Zahlungsmittel benutzten Kaurischnecken aufbewahrt. Der Behälter steht auf drei Füssen in Gestalt kniender menschlicher Figuren, die mit erhobenen Armen das Gefäss stützen. Der Querschnitt des Behälters ist rund, und die Leibung ist etwas eingezogen. Zwei mit Ornamentbändern eingefasste Friese von unterschiedlicher Höhe umspannen den Gefässkörper. Der untere Fries zeigt in eingetieftem Flachrelief vier federgeschmückte menschliche Gestalten, die teils versuchen, Rinder einzufangen, und teils mit einer Axt bewaffnet sind. Das obere Dekorband ist mit Vogeldarstellungen ausgefüllt. Auf dem flachen Deckel steht im Zentrum eine mächtige vollrunde Rinderfigur, umgeben von vier proportional kleineren, gleichgerichteten Rundplastiken, drei Hirschen mit kräftigem Geweih und einem Tiger mit gesenktem Kopf. Ein linsenförmiger Liniendekor schmückt die Körper der kleineren Tiere; die Oberfläche des Rinderleibes dagegen ist glatt.

71

71
Stangenaufsatz mit Fischfigur
Späte Chunqiu-Periode,
ca. 6. Jh. - frühes 5. Jh. v. Chr.
Bronze, H. 25,4 cm, L. 19,8 cm
Gewicht 734 g
1972 ausgegraben in Lijiashan, Jiangchuan
[M 21 : 96]

Der Stangenaufsatz besteht aus einer röhrenförmigen Tülle, die übergeht in einen annähernd zylindrischen, menschenähnlich gestalteten Teil. Diese Figur trägt quer auf ihrem Kopf einen grossen, vollplastischen Fisch. Auf Kiemenhöhe ist an ihm mit einem kleinen Ring ein Glöckchen befestigt, das bei jeder Bewegung hell erklingt.
Bei diesem Objekt dürfte es sich um ein Hoheitszeichen handeln, das vielleicht einst die Leibgarde eines Dian-Adeligen mit sich trug.

72
Rechteckige, mit Jade und Malachit eingelegte Gürtelschmuckplatte
Mitte der Westlichen Han-Dynastie,
ca. 150–50 v. Chr.
Bronze, Malachit und Jade
H. 11,3 cm, L. 15,2 cm
1956 ausgegraben in Shizhaishan, Jinning
[M 13 : 157]

Der rechteckige Gürtelschmuck ist auf seiner Vorderseite mit sechs halbzylindrischen Jadeplättchen verziert, die von einer schmalen Zone mit kleinen Malachitplättchen eingerahmt werden. Eine umlaufende Reihe von 15 vollplastisch gestalteten Füchsen (bei drei Tieren fehlt der Kopf) bildet den Abschluss der Platte. Jeder Fuchs erhebt seinen kleinen Kopf und blickt den Betrachter mit aufmerksam gespitzten Ohren an. Die eng aneinander gedrängten Tierkörper werden durch ihre Schwänze formal miteinander verflochten. Die Rückseite hat einen rechtwinklig vorspringenden, für diese Art von Schmuckplatten charakteristischen Haken.

72

73

73

Mandarin-Ente

Mitte der Westlichen Han-Dynastie,
ca. 150–50 v. Chr.
Bronze, H. 11 cm, L. 17 cm
Gewicht 3,05 kg
1956 ausgegraben in Shizhaishan, Jinning
[M 20 : 5]

Ein feines Linienornament, das offensichtlich das dichte Federkleid wiedergibt, bedeckt die Oberfläche der sitzend oder schwimmend dargestellten Ente.

An den Seiten der mit weit geöffneten Augen neugierig oder erschreckt blickenden Ente steigen Schlangen empor, die ihre mit Zähnen bestückten Mäuler drohend geöffnet halten.

74

74
Gürtelschmuck mit drei Wasservögeln
Mitte der Westlichen Han-Dynastie,
ca. 150–50 v. Chr.
Bronze, H. 11,5 cm, L. 15,5 cm
Gewicht 242 g
1956 ausgegraben in Shizhaishan, Jinning
[M 13 : 10]

Die drei Wasservögel auf dem eleganten Schmuckstück präsentieren sich in heraldisch anmutender Symmetrie: Beiderseits des mittleren, streng frontal ausgerichteten Vogels mit elegant hochgestrecktem Hals schliesst je ein im Profil wiedergegebener und nach aussen gekehrter Vogel an. Unter den weit geöffneten Flügeln des mittleren Vogels tauchen zwei symmetrisch angeordnete Fische zwischen die wellenartigen Körperwindungen zweier Schlangen.

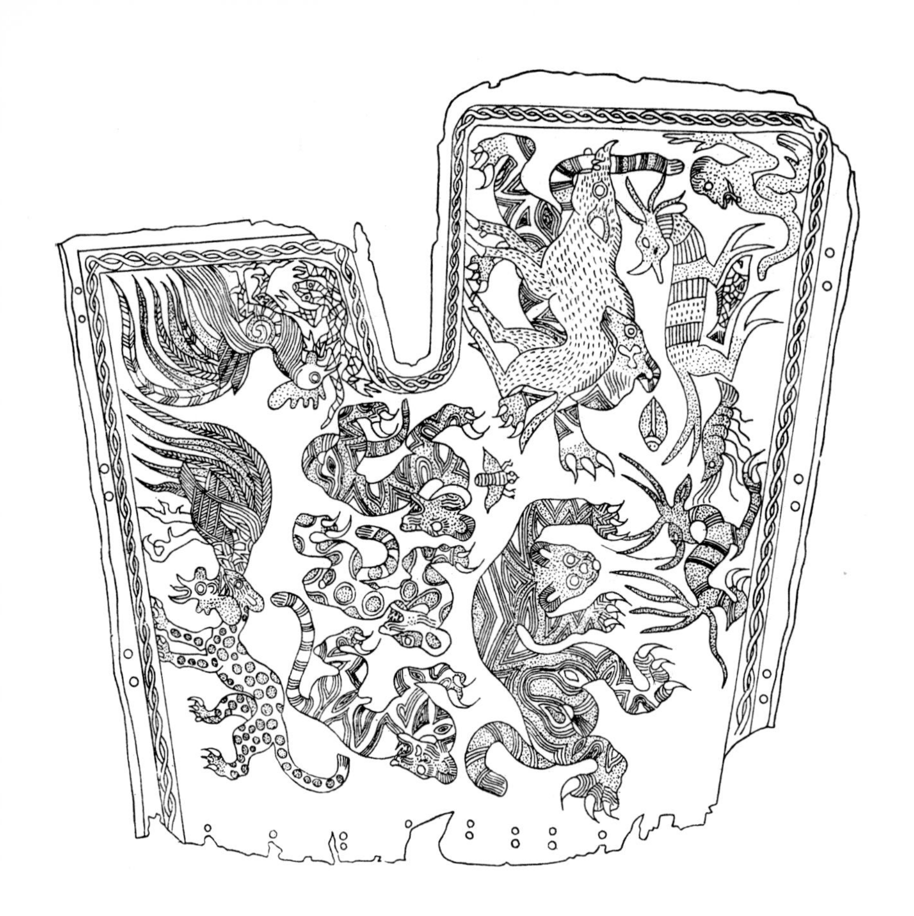

75
Armschiene mit gravierten Tierszenen
Zhanguo-Periode (481–222 v. Chr.)
Bronze, L. 21,7 cm, D. 8,5 cm und 6,6 cm,
Stärke 0,5 cm
Gewicht 181 g
1972 ausgegraben in Lijiashan, Jiangchuan
[M 13 : 4]

Der leicht konische Rüstungsteil schützte einst den Unterarm eines Dian-Kriegers. Die Lochungen im dünnen Bronzeblech am unteren Rand dienten zur Befestigung am Handgelenk. Die Schiene ist vollständig mit Gruppen höchst lebendig gravierter Tierdarstellungen überzogen. Die ornamentalen Tierfiguren sind teils einzeln oder in Kampfpaaren dargestellt. Ein Hahn kämpft mit einer Eidechse; eine Raubkatze beisst in den Hals eines anderen Hahns, und ein Wildschwein und ein Tiger sind in einen heftigen Kampf verwickelt: Das Wildschwein beisst dem Tiger in den Schwanz, während der Tiger seinen Gegner am Rücken packt. Insgesamt sind sechs Raubkatzen, zwei Hühner, ein Wildschwein, ein Affe, eine Eidechse, eine Biene, ein Käfer, ein Krebs, ein Fisch sowie zwei Tiere mit einem Geweih dargestellt.
Präzise Linienführung, sorgfältige Schraffuren und Strichelungen verleihen im Verein mit einer gewissen ornamentalen Strukturierung dem Dekor trotz eines unübersehbaren Mangels in der kompositorischen Organisation ein hohes Mass an unverbildeter gestalterischer Frische und zeichnerisch-graphischer Qualität.

76

76
Zierat mit der Darstellung eines von zwei Leoparden angegriffenen Ebers
Mitte der Westlichen Han-Dynastie, ca. 150–50 v. Chr.
Bronze, H. 8 cm, L. 16 cm
Gewicht 351 g
1956 ausgegraben in Shizhaishan, Jinning
[M 10 : 4]

Die Tierkampfszene dieses Schmuckstücks ist von dramatischer Intensität: Obwohl der Eber mit all seinen Kräften sich zu wehren versucht, haben seine Angreifer, zwei Leoparden, ihn fest im Griff. Der eine fällt mit weit geöffnetem Rachen den Eber von hinten an, während die andere Raubkatze, die durch die heftige Gegenwehr des Ebers gestrauchelt ist, das Wildschwein von vorne bedroht. Sogar die Schlange, die sich unter den Füssen der Kämpfenden windet, scheint sich gegen das Wildschwein verschworen zu haben; sie beisst dem besiegten Tier in den Hinterlauf. Tierkampfszenen dieser Art sind in der Bronzekunst der Dian häufig. Ähnliche Kampfszenen finden sich auch in der Bronzekunst der weiter im Norden anzutreffenden Nomadenvölker. Es dürften schon früh weiträumige kulturelle und wirtschaftliche Kontakte mit diesen nomadischen Völkern im Norden und Nordwesten Chinas gegeben haben.

77

77

Zierat mit der Darstellung einer Tigerfamilie, die ein Rind erbeutet hat

Mitte der Westlichen Han-Dynastie,
ca. 150–50 v. Chr.
Bronze, H. 9 cm, L. 13 cm
Gewicht 364 g
1956 ausgegraben in Shizhaishan, Jinning
[M 12 : 38]

Der Bronzeschmuck, der mit Hilfe eines Hakens an einem Gewand befestigt werden konnte, zeigt einen kräftigen Tiger. Dieser trägt auf seinem Rücken ein Rind, dessen Kopf mit den langen Hörnern schlaff und leblos über die Hinterhand des Raubtiers herabhängt. Mit seinen scharfen, furchterregenden Fangzähnen, die im geöffneten Rachen sichtbar werden, scheint der Tiger das Rind überwältigt zu haben, und um seine Beute nicht zu verlieren, hält er sie – in nicht gerade naturalistischer Weise – mit seinen Vorderpranken rücklings umklammert. Zwei junge, beinahe verspielt wirkende Tiger haben offenbar das grosse Tier auf der Jagd begleitet.

Der Tiger zählt neben dem Rind und der Schlange zu den am häufigsten dargestellten Tierfiguren in der Bronzekunst der Dian. Dass ihm auch kultische Bedeutung beigemessen werden muss, zeigt unter anderem ein Schatzbehälter aus Shizhaishan [M 1], bei dem ein Tiger in Zusammenhang mit einem Menschenopfer erscheint. Beim Volk der Ba im Südwesten der Provinz Hebei konnten, wie das *Hou Hanshu,* die «Geschichte der Östlichen Han-Dynastie», berichtet, Dämonen und Geister die Gestalt weisser Tiger annehmen, denen menschliches Blut geopfert wurde. Im Fürstentum Nanzhao, dessen Zentrum am Er-See in der Provinz Yünnan lag, trugen zur Tang-Zeit (618–906 n. Chr.) hohe Würdenträger Tigerfelle als Rangzeichen über den Schultern.

78

78
Gürtelschmuck mit Motiven von Rinderfiguren
Mitte der Westlichen Han-Dynastie,
ca. 150–50 v. Chr.
Bronze, H. 9 cm, L. 11,2 cm
Gewicht 198 g
1956 ausgegraben in Shizhaishan, Jinning
[M 13 : 254]

Dieses symmetrisch gestaltete Schmuckobjekt besteht aus einem grossen, frontal dargestellten Rinderkopf mit ausladendem Gehörn. Zu beiden Seiten des Kopfes winden sich Schlangen, die in die grossen Ohren des Rindes beissen. In Verdoppelung des Hauptmotivs ist über dem grossen Rinderkopf ein zweiter, allerdings erheblich kleinerer Kopf angebracht. Auf den mächtigen, am Ende seltsam gegabelten Hörnern des grossen Kopfes liegen zwei vollplastische Rinderfiguren, die ihre Köpfe so zur Seite wenden, dass sie ebenfalls frontal dem Betrachter gegenüberstehen.
Im Grabkomplex von Lijiashan, Jiangchuan, hat man solche trophäenhaften Bronzereliefs von Rinderfiguren aufgehängt gefunden. Bis auf den heutigen Tag haben die Angehörgen des Wa-Volkes in Yünnan die Sitte bewahrt, im Hause Schädel von Stieren und Rindern aufzuhängen, die den Reichtum der Hausbesitzer bezeugen.

79
Schmuckrelief mit der Darstellung eines von Wölfen angegriffenen Widders
Zhanguo-Periode (481–222 v. Chr.)
Bronze, H. 8 cm, L. 14 cm
Gewicht 183 g
1972 ausgegraben in Lijiashan, Jiangchuan
[Streufund 347]

Das Bronzerelief zeigt einen Widder mit gewaltigen Hörnern, der von Wölfen angefallen wird. Obwohl der Angegriffene noch Widerstand leistet und mit wachsamen Augen den Kopf erhoben hat, krallt sich ein Wolf bereits von vorne an seinen Hals, ein anderer beisst ihm in den Rükken, während ein dritter ihn von hinten anfällt. Wiederum bildet eine Schlange die Standlinie für die Tierkampfszene.

79

80
Schmuckplatte mit der Darstellung eines Hirsches, der von zwei Wölfen angefallen wird
Mitte der Westlichen Han-Dynastie,
ca. 150–50 v. Chr.
Bronze, H. 12,7 cm, L. 16,7 cm
Gewicht 632 g
1956 ausgegraben in Shizhaishan, Jinning
[M 6:107]

Die Rückseite des Schmuckstücks besitzt den üblichen Dorn zur Befestigung an einem Gewand. Die Schauseite stellt einen wehrlosen, von zwei gierigen Wölfen angefallenen Hirsch dar. Das verängstigt blickende Tier bäumt sich auf und versucht sich zu befreien. Einer der Wölfe ist jedoch bereits auf seinen Rücken gesprungen und beisst ihn in das Ohr. Der andere Wolf beisst in den hinteren Oberschenkel. Auch hier bildet ein Schlangenkörper die Grundlinie, auf der sich der bewegte Kampf der Tiere abspielt.

80

81

81
Zierat mit der Darstellung eines Rinderdiebstahls
Späte Chunqiu-Periode,
ca. 6. Jh. – frühes 5. Jh. v. Chr.
Bronze, H. 6 cm, L. 12 cm
Gewicht 170 g
1972 ausgegraben in Lijiashan, Jiangchuan
[M 24 : 90]

Das stark durchbrochen gearbeitete Schmuckrelief zeigt im Zentrum ein grosses Rind, das mit einem Horn ein Kind aufgeworfen hat. Während ein Mann am rechten Reliefrand versucht, das Rind mit einem dicken Seil an einen Pfosten zu binden, schaut ein gestrauchelter, sich mit einer Hand am Boden abstützender Mann ängstlich auf das mächtige Tier, das bedrohlich auf ihn zukommt. Gleichzeitig versuchen zwei Männer das kräftige Tier zurückzuhalten. Der eine packt das Rind am Schwanz, der andere am Bauch und Rücken. Die Gruppe steht auf zwei ineinander verschlungenen Schlangenkörpern; die Schlange am linken Reliefrand schickt sich an, einen vor ihr hockenden Frosch aufzufressen.
Das Schmuckobjekt stellt wohl einen Tierdiebstahl dar. Das Thema des Rinderdiebstahls ist in der Bronzekunst der Dian mit einer Reihe von Beispielen vertreten. Angehörige der Dian scheinen häufig Beutezüge veranstaltet zu haben mit der Absicht, sich Opfertiere für Kulthandlungen zu beschaffen. Bis in die fünfziger Jahre unseres Jahrhunderts haben Minoritäten in Yünnan, wie zum Beispiel die Wa, die Dai, die Jingpo und die Dulong, solche Bräuche bewahrt. Während der Menschenopferrituale der Wa sind auch Rinderschwänze geopfert worden. Offenbar waren für grosse Feste und Zeremonien des Dian-Volkes solche Tierdiebstähle erforderlich; die erbeuteten Tiere wurden dann bei Fruchtbarkeitsritualen geopfert. Bei diesem Bronzerelief handelt es sich um eines der ältesten im Wachsausschmelzverfahren, der Technik der «Verlorenen Form», gegossenen Objekte der Dian-Bronzekunst.

82

82
Schmuckplatte mit der Darstellung von fünf Männern, die ein Rind an einem Pfahl festbinden
Mitte der Westlichen Han-Dynastie,
ca. 150–50 v. Chr.
Bronze, H. 9,6 cm, L. 16 cm
Gewicht 336 g
1956 ausgegraben in Shizhaishan, Jinning
[M 6 : 30]

Den Abschluss des Reliefs bildet auf der rechten Seite ein Pfosten mit einem schirmartigen Dach, auf dem sich eine Schlange mit aufmerksam erhobenem Kopf ringelt. An diesen Pfosten ist mit einem dicken Seil der Kopf eines mächtigen Rindes gebunden. Vier Figuren stehen hinter dem von der Seite gesehenen Rind; zwei von ihnen haben die Hände über den Rükken des Rindes gelegt, als wollten sie es beschwichtigen. Der dritte Mann hält den Schwanz des Rindes fest in den Händen, während die hinterste, leicht gebückte Figur, das aufgewickelte Ende des langen Stricks in den Händen trägt.
Eine fünfte, nur fragmentarisch erhaltene Gestalt unter dem Kopf des Rindes ist damit beschäftigt, das andere Seilende an den Pfosten zu binden. Die barfüssigen Männer sind einheitlich gekleidet. Alle tragen auffallende, flache, weit vorstehende Kopfbedeckungen, zu denen zwei lange, herabhängende Federn gehören. Ohren und Arme sind mit Ringen geschmückt, und am Gürtel des zweitletzten Mannes erkennt man eine Schmuckplatte.
Möglicherweise handelt es sich bei dieser Szene um einen mit dem Kult in Zusammenhang stehenden Viehdiebstahl (Kat. 81) oder die Vorbereitungen zu einer rituellen Schlachtung.

83
Schmuckrelief mit zwei Monsterwesen
Mitte der Westlichen Han-Dynastie,
ca. 150–50 v. Chr.
Bronze, teilweise vergoldet, H. 8 cm, L. 14,5 cm
Gewicht 247 g
1956 ausgegraben in Shizhaishan, Jinning
[M 13 : 45]

Dieser Gewandschmuck mit dem üblichen Dorn auf der Rückseite zeigt zwei stehende, einander das Körperende zuwendende Fabelwesen mit löwenähnlichen Monsterköpfen. Aus den aufgerissenen Rachen ragen spitze Zähne hervor, und auf den Köpfen tragen die Fabelwesen, wie Rinder, kräftige Hörner. An ihren Ohren und um die Beine erkennt man breite Ringe. Schlangen winden sich über ihre Rücken und unter ihren Füssen.
Bei dieser Schmuckplatte handelt es sich ausnahmsweise nicht um eine realistische Tierdarstellung, sondern um die phantasievolle Wiedergabe mythischer Fabelwesen, deren Bedeutung unbekannt ist.

84
Schmuckplatte mit der Darstellung einer Jagd
Zhanguo-Periode (481–222 v. Chr.)
Bronze, H. 12 cm, L. 12,5 cm
Gewicht 407 g
1972 ausgegraben in Lijiashan, Jiangchuan
[M 13 : 4]

Das als Halbrelief gearbeitete, auf der Rückseite mit einem Haken versehene Schmuckstück stellt zwei berittene Jäger mit hochgestecktem Haar und mit langen, herabhängenden Kopfschmuckfedern dar. Die Männer halten Lanzen in ihren Händen, mit denen sie zwei Hirsche zu erlegen trachten. Die in lebhafter Bewegung erfasste Gruppe wird an den Seiten und am Boden umrahmt von schlangenartigen Fabelwesen. Die Schmuckplatte ist in ihrer Vielschichtigkeit der Reliefebenen, ihren komplexen Überschneidungen und ihrer geradezu verwirrenden kompositionellen Dichte ein kleines Meisterwerk der Reliefkunst wie der Bronzegusstechnik.
Im alten China war unter den Stämmen des Südwestens die Sitte verbreitet, einen Kopfschmuck aus Federn zu tragen. Auch in der Bronzekunst der Dian stösst man häufig auf Darstellungen federtragender Menschen. Im *Yunnan zhilüe* («Kurzer Rapport aus Yünnan»), einem Reisebericht aus der Yuan-Dynastie (1279–1368), heisst es: «Sie stecken sich die Schwanzfedern des Fasans in die Haare, [man möchte meinen,] sie [könnten] fliegen.» Und im *Nanzhao yeshi,* «Chronik aus dem Randgebiet Nanzhao», steht folgendes über den Stamm der Zhong: «Einige tragen Hühnerfedern in ihren Stirnhaaren.» Bis zum heutigen Tag gibt es in der Gegend von Funing in Yünnan das Minoritätenvolk der Yi, das sich bei Tänzen zu Klängen der Bronzetrommel Federn ins Haar steckt.

84

85

85

85

Speerspitze vom Typ *mao* dekoriert mit Tigerjagdszenen

Späte Chunqiu-Periode,
ca. 6. Jh. – frühes 5. Jh. v. Chr.
Bronze, L. 40,4 cm
Gewicht 305 g
1972 ausgegraben in Lijiashan, Jiangchuan
[M 24 : 43-3]

Die Speerspitze besteht aus einer langen, schlanken Klinge und einer reich verzierten Tülle mit linsenförmigem Querschnitt.
Die Tülle ist in der Mitte mit einem Ornamentfries aus Flechtmustern verziert, der von einem schmalen *leiwen*-Band unterteilt wird. Ausserhalb des eigentlichen Tüllenrandes erkennt man auf der eingebuchteten Seite einen Jäger, der mit einem kurzen Schwert einen Tiger verfolgt. In einem anschliessenden Relieffries halten drei Jäger mit vereinten Kräften an einem starken Seil einen weiteren Tiger gefangen. Auf der anderen Seite der Tülle sind beim Klingenansatz zwei menschliche Figuren im Kampf mit Tigern zu sehen.

86

Pickelaxt vom Typ *zhuo,* dekoriert mit drei Menschen und einem Rind

Mitte der Westlichen Han-Dynastie,
ca. 150–50 v. Chr.
Bronze, L. 20,4 cm, L. der Klinge 15,1 cm
Gewicht 499 g
1956 ausgegraben in Shizhaishan, Jinning
[M 6 : 67]

Die Waffe besitzt eine lange, schmale Klinge mit einer durch Voluten- und Flechtornamenten reich verzierten Tülle. Von den ursprünglich fünf Figuren, die an der Tülle befestigt waren, ist eine abgebrochen; man erkennt nur noch die Fussstümpfe.
Die übrigen vier Figuren, drei Männer und ein Rind, bilden einen kleinen Zug, der möglicherweise eine Tributlieferung darstellt. Der vorderste Mann trägt einen Sack über der Schulter. Ihm folgt ein Rind, das ursprünglich von der heute nicht mehr erhaltenen Figur an einem Strick geführt wurde. Den Abschluss des kleinen Zuges bilden zwei Männer, von denen der hinterste ein Gerät oder eine Waffe über die Schulter gehängt hat.

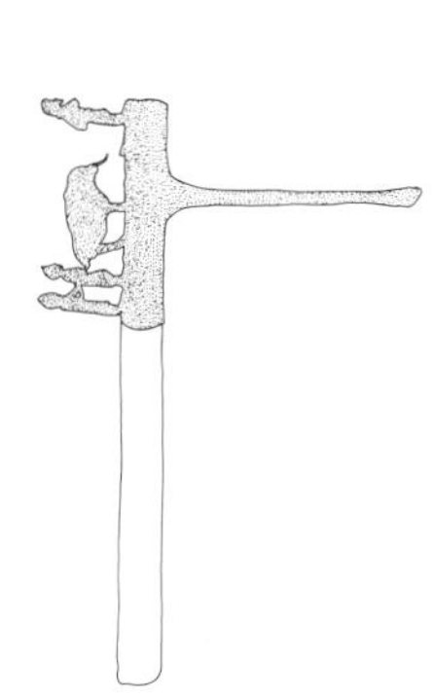

87

87
***Fu*-Streitaxt mit der Darstellung eines Gefangenenzuges**
Zhanguo-Periode (481–222 v. Chr.)
Bronze, L. 16,6 cm
Gewicht 282 g
1972 ausgegraben in Lijiashan, Jiangchuan
[M 13 : 21]

Die Tülle der Axt ist beidseitig mit einem dichten Relief verziert, das einen Gefangenenzug darstellt. Auf der einen Seite erkennt man einen nach hinten blickenden, berittenen Krieger, der in der einen Hand einen Speer und in der anderen einen menschlichen Kopf als Kriegsbeute trägt. Er wird begleitet von zwei gefesselten Kriegern. Auf der Rückseite steht wiederum ein Reiter im Zentrum, dem zwei – wohl besiegte und gefangene – Soldaten folgen. Deutlich erkennt man auch eine *fu*-Streitaxt, die von einem der Krieger hochgehalten wird.

88

88
Schmuckplatte mit der Darstellung eines von Dian-Soldaten flankierten Beutezugs
Mitte der Westlichen Han-Dynastie,
ca. 150–50 v. Chr.
Vergoldete Bronze, H. 9 cm, B. 15 cm
1956 ausgegraben in Shizhaishan, Jinning
[M 13 : 109]

Die auf dem Gewandschmuckstück dargestellte Szene zeigt einen Beutezug, der von einem schwer gepanzerten und mit einem Helm ausgerüsteten Krieger angeführt wird. Er geht barfuss und trägt in der mit einem Armreif geschmückten Linken ein abgeschlagenes menschliches Haupt; mit seiner Rechten umfasst er ein Seil, an dem er eine Frau hinter sich herführt. Diese trägt auf dem Rücken ein Kind. Dicht dahinter folgen ein Rind, ein Schaf und eine Ziege. Den Abschluss der Gruppe bildet ein zweiter Soldat mit ähnlicher Rüstung, der eine *fu*-Axt über der Schulter trägt und in seiner Linken ebenfalls ein menschliches Haupt hält. Er schreitet, wie teilweise auch die vor ihm gehenden Tiere, achtlos über den enthaupteten Leichnam eines besiegten Feindes. Der Anführer der Gruppe und die Gefangenen stehen auf dem gewundenen Körper einer Schlange, und diese hat sich im Hinterbein der Ziege festgebissen.
Die auf den ersten Blick eher idyllisch anmutende Szene entpuppt sich bei genauerem Hinschauen als ein brutaler Beutezug. Sie illustriert die Heimkehr siegreicher Dian-Krieger, die im Triumph ihre Beute – eine gefangene Frau mit ihrem Kind, die Köpfe der Besiegten und deren Vieh – mit sich führen.

89

89

***Mao*-Lanzenspitze mit zwei an den Händen aufgehängten menschlichen Figuren**

Mitte der Westlichen Han-Dynastie,
ca. 150–50 v. Chr.
Bronze, L. 30,5 cm
Gewicht 323 g
1956 ausgegraben in Shizhaishan, Jinning
[M 7:9]

Bei dieser Lanzenspitze handelt es sich offensichtlich um eine Ritualwaffe. Die schmale Klinge sitzt auf einer konischen Tülle. Durch zwei kleine, seitlich beim Klingenansatz angebrachte Löcher sind mit Hilfe von Drähten zwei menschliche Figuren befestigt. Offenbar handelt es sich um zwei Gefangene, die an ihren auf dem Rücken gefesselten Händen aufgehängt sind. Äusserst treffend und lebensnah hat der Bronzeplastiker die verzweifelten Bewegungen der unglücklich baumelnden Opfer wiedergegeben. Es ist ihm gelungen, mit wenigen Mitteln gleichsam eine eindringliche Momentaufnahme von der Gewalttätigkeit dieser kriegerischen Epoche zu machen.

Das goldene Siegel des Königs von Dian

und Prestigeobjekte aus Han-China

90

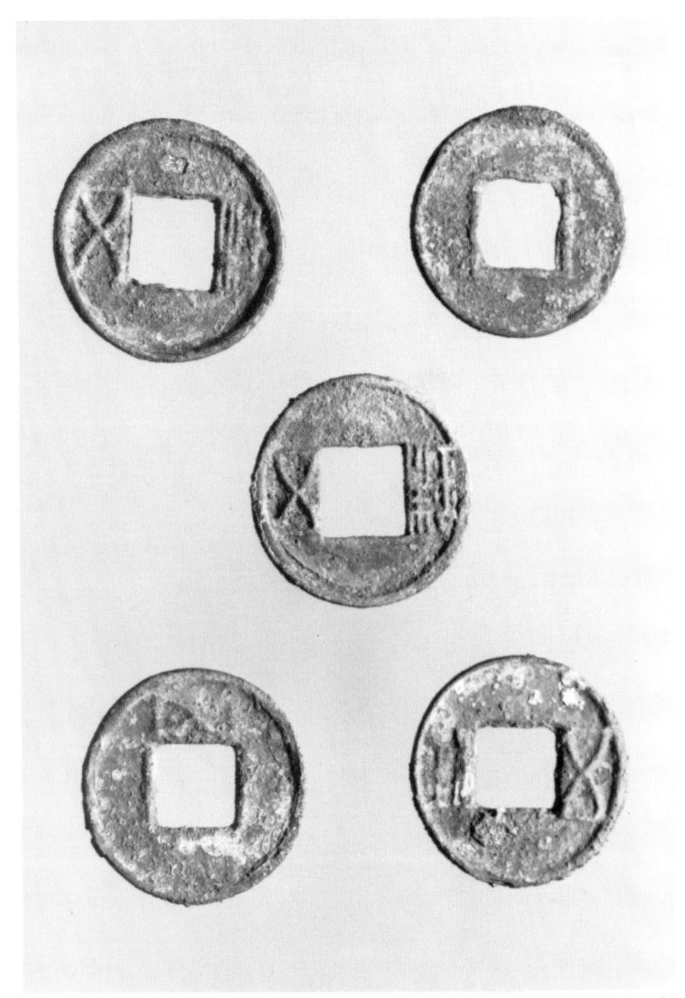

91

90
Zwei Siegel
Späte Westliche oder frühe Östliche Han-Dynastie,
ca. 1. Jh. v. Chr. - 1. Jh. n. Chr.
Bronze, *li de*-Siegel
H. 1,6 cm, L. 1,5 cm
Gewicht 13,8 g
wang guang-Siegel
H. 1,7 cm, L. 1,5 cm
Gewicht 17,6 g
1972 ausgegraben in Lijiashan, Jiangchuan
[Streufunde]

Auf der Unterseite der beiden Bronzesiegel lassen sich je zwei in Siegelschrift ausgeführte chinesische Zeichen entziffern. Auf dem einen Siegel stehen die Zeichen *li de;* an der Oberseite dient eine kleine Wölbung als Griff. Das andere Siegel trägt die Zeichen *wang guang;* der Griff hat hier die Form einer Schildkröte.

91
5 *wushu*-Münzen
Westliche Han-Dynastie (206 v. Chr. - 9 n. Chr.)
Bronze, D. 2,6 cm, Öffnung L. 1 cm, B. 1 cm
Gewicht 3,3 g-3,8 g
1956 ausgegraben in Shizhaishan, Jinning

Die fünf Bronzemünzen sind in flachem Relief mit den zwei Schriftzeichen *wu* (5) und *shu* (Währungseinheit) geprägt; auf ihrer Rückseite umrahmt ein Fadenrelief den äusseren Rand und die quadratische Öffnung in der Mitte. Seit dem 5. Jahr der Regierungsperiode *Yuanshou* (118 v. Chr.) wurden solche *wushu*-Münzen ausgegeben. Bis zum Ende der Östlichen Han-Dynastie (25-220 v. Chr.) war diese Währungseinheit im gesamten chinesischen Reich verbreitet.
Bei den vorliegenden Münzen kann aufgrund des Duktus der Schriftzeichen geschlossen werden, dass es sich um *wushu*-Münzen handelt, die entweder zur Regierungszeit des Han-Kaisers Wu (reg. 140-86 v. Chr.) oder der seines Nachfolgers Zhao (reg. 86-74 v. Chr.) geprägt wurden. Sowohl in den Gräbern von Shizhaishan als auch bei anderen Fundorten der Dian-Kultur sind solche Münzen zum Vorschein gekommen. Sie weisen auf den bereits in dieser Zeit bestehenden Einfluss der Han-Dynastie im Königreich Dian hin.

92

Das goldene Siegel des Königs von Dian

Mitte der Westlichen Han-Dynastie,
spätes 2. Jh. v. Chr. – frühes 1. Jh. v. Chr.
Gold, L./B. 2 cm, H. 2 cm
Gewicht 90 g
1956 ausgegraben in Shizhaishan, Jinning
[M 6 : 34]

Ein geschuppter, dreifach gedrehter Schlangenkörper dient als Griff des Siegels. Die vier in der sogenannten «Kleinen Siegelschrift» *(xiaozhuan)* eingravierten Zeichen sind klar zu lesen: «Siegel des Königs von Dian». Diese Inschrift bestätigt eine Textstelle im Kapitel über die «Beschreibung der barbarischen Völker des Südwestens», die im *Shiji,* dem bereits mehrfach erwähnten Geschichtswerk des grossen Historiographen Sima Qian aus der Han-Zeit enthalten ist. Dort steht folgendes vermerkt: «Im zweiten Jahr der Regierungsperiode *Yuanfeng* (109 v. Chr.) sandte der Himmelssohn [der Han-Kaiser Wu] Truppen nach Ba und Shu, um die Laojin- und Mimo-Barbaren zu vernichten und um gegen Dian zu ziehen. Da der König von Dian guten Willens war, wurde sein Leben verschont... Er ergab sich, und man bat um Beamte, die das Königreich verwalten sollten. So wurde Dian zur Yizhou-Kommandantur gemacht, dem König wurde das Königssiegel überreicht, und so konnte dieser wieder über sein Volk herrschen.»

Der Fund dieses mit dem Königstitel von Dian versehenen Siegels beweist die Zuverlässigkeit des historischen Berichts. Überdies erlaubt das goldene Siegel die Identifizierung des Grabes Nr. 6 in Shizhaishan: Es muss sich um ein Königsgrab handeln.

Dieses kleine Goldobjekt gilt heute in China als streng gehütetes historisches Dokument von nationaler Bedeutung. Aus diesem Grund darf es das Land nicht verlassen, und so kann in der Ausstellung leider nur eine Replik gezeigt werden.

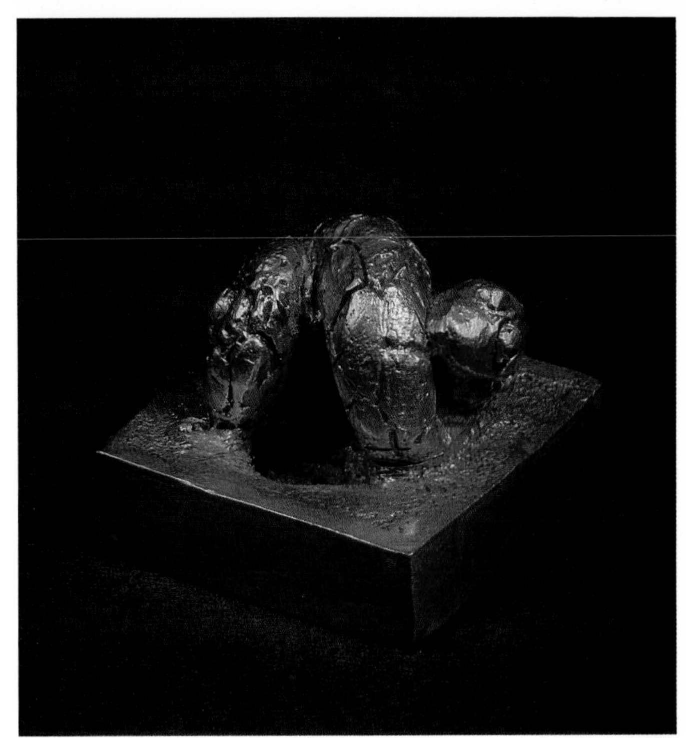

92

92

93

93

Bronzespiegel

Mitte der Westlichen Han-Dynastie,
ca. 150–50 v. Chr.
Bronze, D. 15 cm
Gewicht 478 g
1958 ausgegraben in Shizhaishan, Jinning
[M 23 : 16]

Auf der reliefierten Rückseite des runden Spiegels verläuft um den zentralen Knauf ein Perlband, an das ein achtfach gezackter Sterndekor anschliesst, der mit verschiedenen Ornamenten verziert ist. In einer von Schnurbändern eingefassten Ringzone sind Schriftzeichen angeordnet, die jedoch nur teilweise zu entziffern sind. Der Dekor schliesst nach aussen mit einer breiten, glatten Zone ab.
Bronzespiegel dieses Typs hat man während der mittleren und späteren Westlichen Han-Dynastie in grosser Zahl hergestellt. Bei diesem Fundobjekt handelt es sich eindeutig um ein nach Yünnan importiertes zentralchinesisches Bronzeprodukt der Han-Dynastie.

94

Spiegel mit floralem Dekor

Westliche Han-Dynastie
(206 v. Chr. - 9 n. Chr.)
Bronze, D. 16 cm
Gewicht 295 g
1955 ausgegraben in Shizhaishan, Jinning
[Shizhaishan 76 A]

Die dekorierte Rückseite dieses Spiegels besitzt in der Mitte den charakteristischen Knauf mit Öse. Zwischen zwei durch feine Profillinien gekennzeichneten Quadraten erkennt man eine Reihe von Schriftzeichen: *Chu si jun wang yin si bu wang,* «Ich denke beständig an meinen Fürsten, und ich will ihn nie vergessen». Bis zur sechzehnfach einwärts gelappten Randzone ist das übrige Dekorfeld mit reliefierten, floralen Ornamenten ausgefüllt. Dieser Spiegel stammt aus der Regierungszeit des Kaisers Wu (140–86 v. Chr.) oder seines Nachfolgers Zhao (86–74 v. Chr.). Auch hier handelt es sich um ein Importstück. Vor der Han-Dynastie waren Bronzespiegel in Yünnan unbekannt.

95

95
Räuchergefäss
Mitte der Westlichen Han-Dynastie,
ca. 150–50 v. Chr.
Bronze, H. 18,8 cm
Gewicht 966 g
1958 ausgegraben in Shizhaishan, Jinning
[M 23 : 14]

Das kelchförmige Räuchergefäss besitzt einen durchbrochen gearbeiteten Deckel, der mit floralen Ornamenten verziert ist. Durch die Öffnungen des Deckels konnte der wohlriechende Rauch aufsteigen.
Sowohl der hohe trichterförmige Fuss als auch das kugelige Gefäss sind durch leicht profilierte Querringe gegliedert. An den Seiten des Gefässes und auf dem Scheitel des Deckels sind bewegliche Ringhenkel angebracht.

Inschrift am Fuss des hu.

96
Weingefäss vom Typ *hu* mit Deckel und Bügelhenkel
Späte Westliche Han-Dynastie,
ca. 1. Jh. v. Chr.
Bronze, H. 47 cm
Gewicht 2,65 kg
1973 ausgegraben in Xiaosongshan, Chenggong
[M 1 : 1]

Dieses *hu* mit Deckel besitzt die für diesen Gefässtyp charakteristische Form mit hohem, konischem Fuss, bauchiger Leibung, hohem Hals und leicht ausladender Mündung.
Durch zwei seitlich am Deckel angebrachte Ringe laufen Ketten, deren Enden einerseits an der Leibung befestigt sind und andererseits durch einen Bügelhenkel miteinander verbunden sind. Dieser wird von zwei gegenständigen Drachenkörpern gebildet. Weingefässe dieser Art sind typische Erzeugnisse der Bronzekunst im Han-Imperium und darum in Yünnan eindeutig als Importstücke zu kassifizieren.
Auf dem hohen Ringfuss steht eine Inschrift; sie lautet *erqianshi da Xu shi, «erqianshi* vom grossen Xu-Clan». Aus dem Kapitel 218 des *Hou Hanshu,* der «Dynastiengeschichte der Späteren Han», geht hervor, dass die Bezeichnung *erqianshi* gleichbedeutend war mit dem offiziellen Titel *taishou,* den man mit «grosser Beschützer» übersetzen kann. Der Titel *taishou* wurde u.a. den Häuptlingen der Eingeborenenstämme des Südens und des Südwestens von der Han-Administration verliehen. In erster Linie bezeichnet er zu jener Zeit aber einen Gouverneur oder Administrator eines Verwaltungsbezirks im Rang einer Kommandantur. Die Inschrift am Fuss dieses *hu* legt nahe, dass es, zumal es in der Nähe des heutigen Chenggong gefunden wurde, einst zum Haushalt des *taishou* von Yizhou gehört haben könnte.

97

97
Bronzegefäss vom Typ *ding*
Westliche Han-Dynastie (206 v. Chr. - 9 n. Chr.)
Bronze, H. 22,3 cm, D. 21 cm
Gewicht 3,2 kg
1980 ausgegraben in Zhujiebatatai, Qujing
[M 69 : 10]

Das dreibeinige Gefäss mit ausladender Mündungszone wurde zur Zubereitung von Speisen verwendet. Zwei seitlich angebrachte schnurförmig gedrehte Ringe dienen als Henkel. Um die Leibung verläuft eine reliefierte «Bogensehne». Das Gefäss weicht in seiner Form etwas von den aus Zentralchina bekannten *ding*-Bronzetypen ab.
Das in der Dian-Kultur üblicherweise zum Kochen benutzte Gefäss war der *fu*-Kessel; *ding*-Gefässe sind bislang nur in Zhujiebatatai im Bezirk Qujing und in Shizhaishan, Jinning, zutage gefördert worden. Der Typus des *ding* ist jedenfalls ohne Zweifel durch den Kultureinfluss der Han-Chinesen nach Yünnan vermittelt worden.

98
Gürtelhaken
Mitte der Westlichen Han-Dynastie,
ca. 150–50 v. Chr.
Bronze, vergoldet, L. 11,7 cm
Gewicht 92,5 g
1956 ausgegraben in Shizhaishan, Jinning
[M 7 : 71]

Der in Gestalt eines Drachens gearbeitete Gürtelhaken besitzt in der Mitte eine grosse ausgesparte Vertiefung. Solche Aussparungen dienten zur Aufnahme von Einlagen. Das gebogene Ende ist als Drachenkopf geformt, ein Motiv, das seit der Shang-Zeit (ca. 16. Jh. - 11. Jh. v. Chr.) in China in vielfacher Weise verwendet worden ist. Gürtelhaken dieser Art treten in Yünnan erst mit der Qin-Dynastie (221–206 v. Chr.) auf; das vorliegende Beispiel aus der Mitte der Westlichen Han-Dynastie ist offensichtlich ein Importstück.

98

99
Kleines Becken vom Typ *xi*
Mitte der Westlichen Han-Dynastie,
ca. 150–50 v. Chr.
Bronze, H. 12,5 cm, D. 25,7 cm
Gewicht 1,96 kg
1956 ausgegraben in Shizhaishan, Jinning
[M 6 : 131]

Dieses Becken dürfte ursprünglich als Wassergefäss gedient haben. Es besitzt eine ausladende Lippe über einer niedrigen Leibung. Ein dreifach gegliedertes Profil umläuft die Wandung, und an den Seiten sind zwei bewegliche Ringhenkel befestigt.

99

100

100
Weingiessgefäss vom Typ *he*
Mitte der Westlichen Han-Dynastie,
ca. 150–50 v. Chr.
Bronze, H. 14 cm
Gewicht 1,06 kg
1958 ausgegraben in Shizhaishan, Jinning
[M 23 : 29]

Gefässe dieses Typs sind vor allem zum Erwärmen von Wein benützt worden. Die bauchige, auf drei Füssen stehende Kanne ist mit einer Ausgusstülle und einem zylindrischen Griff versehen. Auch der mit einem Reliefdekor verzierte Deckel ist noch erhalten.
Bei diesem *he* handelt es sich eindeutig um ein aus dem Han-Kulturraum nach Yünnan importiertes Stück.

Grab mit königlich repräsentativer Ausstattung, Shizhaishan [M 6]

Abb. 21
Ansicht des Grabes Nr. 6 von Shizhaishan, Aufnahme 1956.

1 Schatzbehälter aus zwei aufeinander-gestapelten Trommeln (Kat. Nr. 27)
2 Schatzbehälter
3 Männliche Grabfigur mit Schaft des Grabschirms
4 Schirmdach
5 Schatzbehälter
6 Fragmentarisches Gerät
7 Kleiner Schatzbehälter
8 Schmuckplatte
9 Gürtelschmuckscheibe
10 Spiegel
11 Goldperlen und Knöpfe
12 Rinderkopf
13 Schmuckplatte
14 Schmuckplatte
15 Schmuckplatte
16 Gürtelschmuckscheibe
17 Schmuckplatte
18 Tüllenmeissel
19 Messer
20 Lanzenspitze
21 Schwert
22 Hausmodell (Kat. Nr. 24)
23 Jade-Armreif
24 Gürtelschmuck
25 Lanzenspitze
26 Rinderkopf
27 Jade-Armreif
28 Pferd- und Wagenzubehör
29 Schwert
30 Schmuckplatte (Kat. Nr. 82)
31 Achatperlen und -knöpfe
32 Goldperlen
33 Eisenschwert mit goldenem Scheidenbeschlag
34 Das goldene Siegel des Königs von Dian (Kat. Nr. 92)
35 Kompositschwert
36 Kompositschwert
37 Kompositschwert
38 Kompositschwert
39 Schwert
40 Weinkanne
41 Schmuckplatte
42 Gürtelschmuck
43 Schwert
44 Schwert
45 Messer
46 Schwert
47 Messer
48 Schwert
49 Schwert
50 Schwert
51 Schwert
52 Glocke
53 Räucherschale mit Ständerfuss
54 Kohlenbecken
55 Mischkrug
56 Fragment
57 Fragment
58 Menschliches Schädelfragment
59 Rundaxt *(qi)*
60 Fragment Kessel
61 Dreifusskessel *(fu)* und zwei Schalen *(pan)*
62 Zwei Ständer
63 Rinderkopf
64 Breitaxt *(yue)*
65 Fragment
66 Breitaxt *(yue)*
67 Pickelaxt (Kat. Nr. 86)
68 Schwert
69 Schaftschuhe
70 Dolchaxt *(ge)*
71 Dolchaxt
72 Schwert
73 Lanzenspitze
74 Schwert

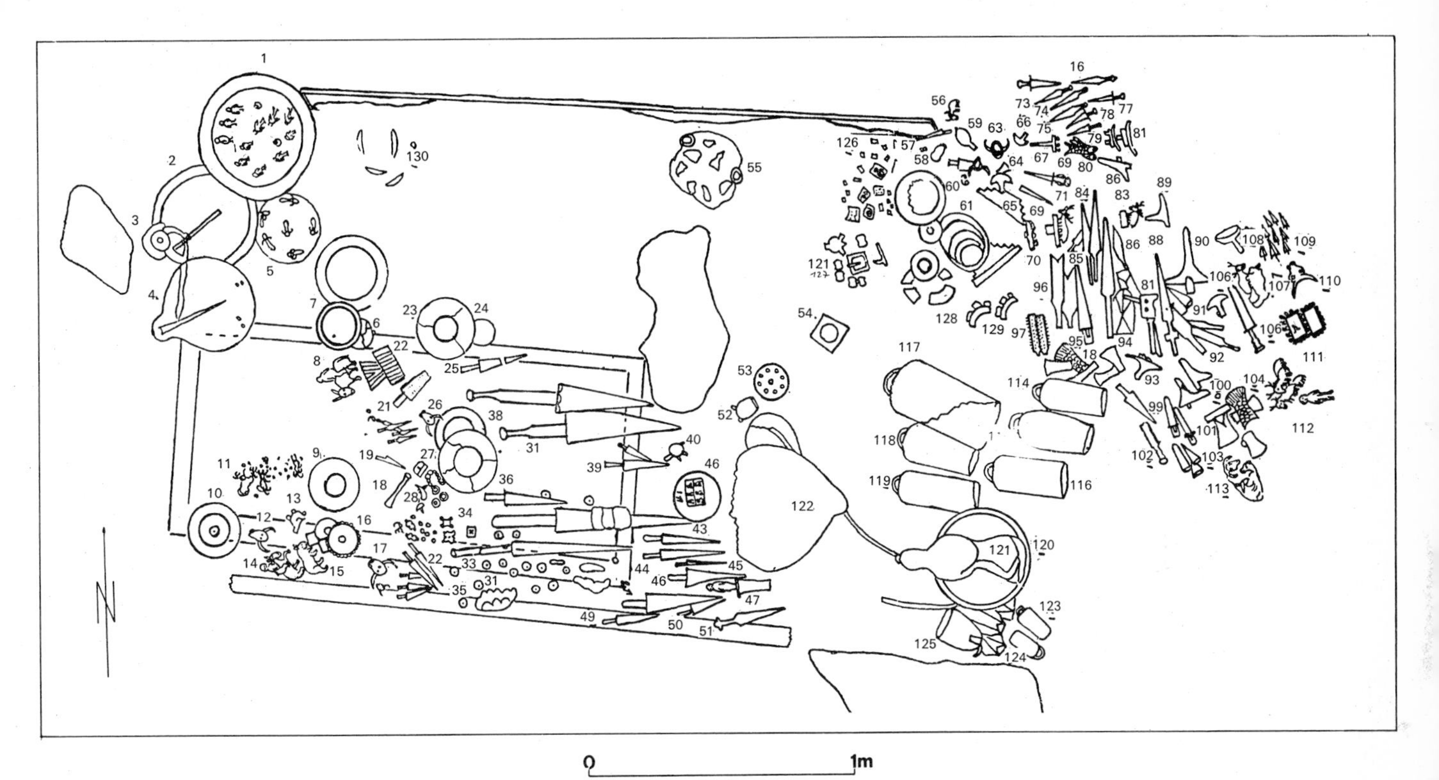

75 Schwert
76 Schwert
77 Schwert
78 Schwert
79 Schwert
80 Fischförmiger Stangenaufsatz
81 Eisenspiess *(qi)*
82 Dolchaxt
83 Pickelaxt
84 Lanzenspitze
85 Lanzenspitze
86 Lanzenspitze
87 Armbrustmechanismus
88 Lanzenspitze
89 Dolchaxt *(ge)*
90 Dolchaxt *(ge)*
91 Hammerkeule
92 Schwert
93 Tüllenbeil
94 Hacke *(chu)*
95 Dolckaxt *(ge)*
96 Gabelspiess *(cha)*
97 Hammerkeule
98 Tüllenbeil
99 Lanzenspitze
100 Dolchaxt *(ge)*
101 Dolchaxt *(ge)*
102 Kompositschwert
103 Schaftschuhe
104 Tüllenbeil
105 Schwert mit goldenem Scheidenbeschlag
106 Breitaxt *(yue)*
107 Schmuckplatte (Kat. Nr. 80)
108 Pilzförmiges Gerät
109 Pfeilspitzen
110 Rinderkopf
111 Schmuckplatte
112 Menschliche Figuren und Hirschfiguren
113 Schmuckplatte
114 Glockenspiel
115 Glockenspiel
116 Glockenspiel
117 Glockenspiel
118 Glockenspiel
119 Glockenspiel
120 Schatzbehälter
121 Männliche Grabfigur mit Schaft des Schirms
122 Schirmdach
123 Hacke
124 Hacke *(li)*
125 Grosse Glocke
126 Jade-Fragment
127 Pferdezubehör
128 Jade-Armreif
129 Gürtelschmuckscheibe
130 Paar vergoldete Trinkschalen-Henkel
131 Kleines Becken *(xi)* (Kat. Nr. 99)
132 Pickelaxt
134 Tüllenbeil
135 Tüllenbeil
136 Gürtelschmuck
137 Jade-Ohranhänger

Reich ausgestattetes Grab in Lijiashan [M 24]

1 Fischförmiger Stangenaufsatz
2 Wetzstein
3 Pickelaxt *(zhuo)*
4 Pickelaxt *(zhuo)*
5 Rundaxt *(qi)*
6 Dolchaxt *(ge)*
7 Rundaxt *(qi)*
8 Rundaxt *(qi)*
9 Rundaxt *(qi)* **(Kat. Nr. 35)**
10 Dolchaxt *(ge)*
11 Hohler Stangenaufsatz
12 Pickelaxt *(zhuo)*
13 Pickelaxt *(zhuo)*
14 Dolchaxt *(ge)*
15 Dolchaxt *(ge)*
16 Wolfszahnkeule *(bang)* **(Kat. Nr. 45)**
17 Wolfszahnkeule *(bang)*
18 Lanzenspitze (Kat. Nr. 34)
19 Lanzenspitze (Kat. Nr. 38)
20 Breitaxt *(yue)*
21 Lanzenspitze
22 Lanzenspitze
23 Lanzenspitze
24 Weingefäss *(hu)* **(Kat. Nr. 22)**
25 Trompetenförmiger Aufsatz
26 Rüstungsteil
27 Tüllenbeil (Kat. Nr. 40)
28 Tüllenbeil
29 Lanzenspitze
30 Pfeilspitzen
31 Lanzenspitze
32 Tüllenbeil
33 Dolchaxt *(ge)*
34 Dolchaxt *(ge)*
35 Nähschatulle (Kat. Nr. 56)
36 Trommel
37 Fussbecher *(bei),* Stein
38 Fussbecher *(bei)*
39 Fragment
40 Mundorgel *(sheng)* **(Kat. Nr. 11)**
41 Trompetenförmiger Aufsatz
42 Schatzbehälter in Form von zwei aufeinander gestapelten Trommeln (Kat. Nr. 12)
43 Messer, Schwert, Lanzenspitze, Ahlen, Schaftschuh, Wetzstein (Kat. Nr. 68, 85)
44 Lanzenspitze
45 Lanzenspitze
46 Lanzenspitze
47 Lanzenspitze
48 Lanzenspitze
49 Lanzenspitze
50 Ovale Platte
51 Opfertisch (Kat. Nr. 1)
52 Rinderhörner
53 Rückenpanzer
54 Schaftschuh
55 Beinschiene
56 Helmfragment ?
57 Schmale Platte
58 Ovale Dose (Garnhalter)
59 Rinderfigur
60 Trommel
61 Figürliche Stangenbekrönung
62 Rückenpanzerfragment
63 Rückenkpanzer
64 Schöpflöffel *(shao)*
65 Karde
66 Figürliche Stangenbekrönung (Kat. Nr. 9)
67 Perlen, Knöpfe, Röhrenperle, Jade und Achat
68 Messer
69 Schwert
70 Messer
71 Schwert
72 Schwert
73 Schwert
74 Schwert mit Scheide
75 Lanzenspitze
76 Wetzstein
77 Schwert
78 Messer
79 Schwert
80 Schwert
81 Schwert
82 Schwert
83 Schwert
84 Schwert
85 Schwert mit Scheide
86 Schwert
87 Schwert mit Türkiseinlagen
88 Köcherbeschläge
89 Schmuckplatte
90 Schmuckplatte (figürlich) (Kat. Nr. 83)
91 Schmuckplatte (figürlich)
92 Gürtelschmuckscheibe
93 Gürtelschmuckscheibe
94 Gürtelschmuckscheibe
95 Gürtelschmuckscheibe
96 Gürtelschmuckscheibe
97 Schmuckscheibe und -platte
98 Gürtelschmuckscheibe
99 Schmuckplatte
100 Schmuckplatte
101 Schwert
102 Lanzenspitzen
103 Messer
104 Jade-Armreif
105 Wetzstein
106 Jade-Ohranhänger
107 Schirmdach
108 Kopfstütze
109 Armschiene (Fragment)
110 Pfeilspitze
111 Rüstungsfragment
112 Pfeilspitzen

1
2
3
4
5
6
7
8
9
10
11
12
13
14
15
16
17
18
19
20
21
22
23
24
25
26
27
28
29
30
31
32
33
34
35
36
37
38
39
40
41
42
43
44
45
46
47
48
49
50
51
52
53
54
55
56
57
58
59
60
61
62
63
64
65
66
67
68
69
70
71
72
73
74
75
76
77
78
79
80
81
82
83
84
85
86
87
88
89
90
91
92
93
94
95
96
97
98
99
100
101
102
103
104
105
106
107
108
109
110
111
112
0
1m

Bibliographie

Zusammengestellt von Magdalene von Dewall

1. Das historische und kulturelle Umfeld von Dian

Barnard, Noel und Satō Tamotsu: *Metallurgical Remains of Ancient China.* Tokyo 1975.

Bellwood, Peter: *Man's Conquest of the Pacific – The Prehistory of South East Asia and Ozeania.* Auckland 1978.

Bezacier, Louis: Le Viêt-Nam. 1er fasc.: De la préhistoire à la fin de l'occupation chinoise. *Manuel d'archélogie d'Extrême-Orient.* 1er partie: Asie du Sud-Est. Tome II. Paris 1972.

Chang, Kwang-chih: *The Archaeology of Ancient China.* 3rd rev. ed. New Haven and London 1977.

Dewall, Magdalene v.: Local workshop centres of the Late Bronze Age in Highland South East Asia, 137–166 in: *Early South East Asia* (s. u.).

Dewall, Magdalene v.: Eine Han-zeitliche Gräbergruppe am Oberen Minchiang und ihre randchinesischen Kulturbeziehungen. *Oriens Extremus* 24, 1977, 67–86.

Dewall, Magdalene v.: Cultural Legacies in Southeast Asia – some Observations on the Scope of Archaeology and Art in Pre-literate Society. *Malaysia in History* 23, 1980, 117–129.

Dewall, Magdalene v.: Tribal Contact with Han Chinese Civilization and Socio-cultural Change in China's Southwestern Frontier Region (late first millennium B. C.), 188–217 in: *Southeast Asian Archaeology at the XV Pacific Science Congress* (s. u.).

Early South East Asia: Essays in Archaeology, History and Historical Geography. Eds. Ralph Smith, William Watson. Oxford 1979; mit ausführlicher Bibliographie, 531–552.

Gernet, Jacques: *Ancient China from the beginnings to the Empire.* Paris 1964, London 1968.

Groslier, Bernard P.: *Indochina. Art in the Melting Pot of Races.* Art of the World (= Kunst der Welt, Baden-Baden 1962).

Groslier, Bernard P.: *Indochina.* Archaeologia Mundi. Genf 1966.

Heine-Geldern, Robert v.: Bedeutung und Herkunft der ältesten Metalltrommeln (Kesselgongs). *Asia Maior* 8, 1932, 519–537.

Goloubew, Victor: L'âge du bronze au Tonking et dans le Nord-Annam. *Bulletin Ecole Française d'Extrême-Orient* 29, 1929, 1–46.

Janse, Olov R. T.: *Archaeological Research in Indo-China.* Vols. 1, 2, Cambrigde, Mass. 1947–51, Vol. 3, Bruges 1958.

Karlgren, Bernhard: The date of the early Dongson culture. *Bulletin of the Museum of Far Eastern Antiquities* 14, 1942, 1–28.

Lienert, Ursula: *Das Imperium der Han.* Taschenbücher des Museums für Ostasiatische Kunst der Stadt Köln, Bd. 1, 1980.

Malleret, Louis: La civilisation de Dongson, d'après les recherches archéologiques de M. Olov Janse. *France-Asie* 160–61, 1959, 1197–1208.

Pirazzoli-t'Serstevens, Michèle: *China zur Zeit der Han-Dynastie – Kultur und Geschichte.* Stuttgart 1982.

Rawson, Jessica: *Ancient China – Art and Archaeology.* British Museum Publications, London 1980.

Shiji (= Shih chi): Records of the Grand Historian of China. Translated from the Shih chi of Ssu-ma Ch'ien by Burton Watson. Vol. II: The Age of Emperor Wu 140 to ca. 100 B. C. New York 1961.

So, Jenny F.: The Waning of the Bronze Age: The Western Han Period 206 B. C. – A. D. 8, 321–327 in: *The Great Bronze Age of China,* ed. Wen Fong. New York 1980.

Southeast Asian Archaeology at the XV Pacific Science Congress 1983. Symposium Kle: The origins of agriculture, metallurgy and the state in Mainland Southeast Asia. Ed. Donn Bayard. University of Otago Studies in Prehistoric Archaeology Vol. 16, Dunedin 1984.

Symposium on Historical, Archaeological and Linguistic Studies on Southern China, South East Asia and the Hong Kong Region. University of Hong Kong 1961. Ed. Francis S. Drake, Hong Kong 1967.

Tong Enzheng: Jin nian lai Zhongguo xinan minzu tiqu Zhanguo Qin Han shidai di kaogu faxian ji yanjiu (A preliminary study of the new archaeological finds in Southwest China) *KGXB* 1980: 4, 417–442.

Watson, William: *Handbook to the Collections of Early Chinese Antiquities.* British Museum London 1962.

Watson, William: *Cultural Frontiers in Ancient East Asia.* Edinburgh 1971.

Watson, William: *Style in the Arts of China.* Penguin Books 1974.

2. Fundberichte (nach Fundorten in Yünnan) und ihre archäologische Auswertung

Dabona

Zhang Zengqi: Yunnan Xiangyun Dabona faxian muguo tongguan mu (Die Entdekkung eines Grabes mit Holzkammer und Bronzesarg in Dabona, Xiangyun) *KG* 1964: 7, 369.

Tai Ying, Sun Taichu: Yunnan Xiangyun Dabona muguo tongguan mu qingli baogao (Excavations of a Bronze Coffin Tomb at Dabona, Xiangyun, Yunnan) *KG* 1964: 12, 607–614 + Taf. 2–5.

Lijiashan

Yunnan Jiangchuan Lijiashan gu mujun fajue jianbao (Kurzbericht zur Ausgrabung der Gräbergruppe von Lijiashan, Kreis Jiangchuan) *WW* 1972: 8, 7–16, Taf. 4 + 5.

Zhang Zengqi, Wang Dadao: Yunnan Jiangchuan Lijiashan gu mujun fajue baogao (Excavation of an ancient cemetery at Lijiashan, Jiangchuan County, Yunnan) *KGXB* 1975: 2, 97–154, Taf. 1–24.

Shibeicun

Yunnan Chenggong Longjie Shibeicun gu mujun fajue jianbao (Kurzbericht zur Ausgrabung von Shibeicun in Chenggong, Yunnan). *Wenwu ziliao congkan* 3, 1980, 86–97.

Hu Shaojin: Kunming Chenggong Shibeicun gu mujun di er ci qingli jianbao (Die zweite Grabungskampagne von Shibeicun in Chenggong, Kunming) *KG* 1984: 3, 231–242.

Shizhaishan

Sun Taichu: Yunnan Jinning Shizhaishan gu yizhi ji muzang (Excavations of early dwelling sites and tombs at Shizhaishan, Jinning, Yunnan) *KGXB* 1956: 1, 43–63 u. Taf. 1–10 (1. Grabungskampagne).

Yunnan Jinning Shizhaishan gu mujun fajue baogao (Grabungsbericht über die Gräbergruppe von Shizhaishan, Jinning, Yunnan). 2 Bde.: Text- und Tafelband. Beijing 1959 (2. Grabungskampagne).

Ma Dexian: Yunnan Jinning Shizhaishan gu mujun chutu tong tie qi bu yi (Nachtrag zu Bronzen- und Eisenfunden aus der Gräbergruppe von Shizhaishan) *WW* 1964: 12, 41–49, Taf. 3–5.

Ma Dexian: Yunnan Jinning Shizhaishan disanzi fajue jianji (Kurzanzeige zur dritten Grabungskampagne von Shizhaishan) *KG* 1959: 3, 155–56.

Yunnan Jinning Shizhaishan disanzi fajue jianbao (Kurzbericht zur dritten Grabungskampagne von Shizhaishan) *KG* 1959: 9, 459–61, 490.

Sun Taichu: Yunnan Jinning Shizhaishan gu mu disizi fajue jianbao (Kurzbericht zur vierten Grabungskampagne von Shizhaishan) *KG* 1963: 9, 480–85.

Taijishan

Yunnan Anning Taijishan gu muzang qingli baogao (Excavations of ancient tombs at Taijishan, Anning, Yunnan) *KG* 1965: 9, 451–58, Taf. 3–6.

Tianzimiao

Hu Shaojin u. a.: Chenggong Tianzimiao Dian mu (Ancient Dian Tombs at Tianzimiao, Chenggong) *KGXB* 1985: 4, 507–45, Taf. 9–20.

Tuanshan

Huang Desong: Yunnan Jiangchuan Tuanshan gu muzang fajue jianbao (Kurzbericht zur Ausgrabung von Tuanshan, Jiangchuan, Yunnan) *Wenwu ziliao congkan* 8, 1983, 95–99.

Wanjiaba

Yunnan sheng Chuxiong xian Wanjiaba gu mujun fajue jianbao (Kurzbericht über die Ausgrabung der Gräbergruppe von Wanjiaba, Chuxiong, Provinz Yünnan) *WW* 1978: 10, 1–18.

Chuxiong Wanjiaba gu mujun fajue baogao (Excavation of Ancient Tombs at Wanjiaba in Chuxiong, Yunnan Province) *KGXB* 1983: 3, 347–382, Taf. 7–16.

Die massgebliche archäologische Berichterstattung über Ausgrabungen und Neufunde erfolgt in den chinesischen Fachzeitschriften:

KG	*Kaogu* (Archaeology), Beijing
KGXB	*Kagou Xuebao* (The Chinese Journal of Archaeology), Beijing
WW	*Wenwu* (Cultural Relics), Beijing

Erste Kurzberichte und Auswertungen zu Neufunden der Dian-Kultur in westlichen Sprachen enthalten folgende Arbeiten:

1960 Wang Junming: The Bronze culture of Ancient Yunnan. *Peking Review* 1960: 2, 18–19.

1960 Rudolph, Richard C.: An Important Dongson Site in Yunnan. *Asian Perspectives* 4, 1960, 41–49.

1963 Haskins, John F.: Cache of Stone Fortress Hill. *Natural History* 72: 2, 1963, Deckblatt u. 30–39.

1967 Dewall, Magdalene v.: The Tien Culture of Southwest China. *Antiquity* 41, 1967, 8–21.

1974 Pirazzoli-t'Serstevens, Michèle: *La civilisation du royaume de Dian à l'époque Han d'après le matériel exhumé à Shizhaishan* (Yunnan). Publications de l'Ecole Française d'Extrême-Orient 94, Paris.

1979 Dewall, Magdalene v.: Die Tien-Kultur und ihre Totenausstattung – Grabsitten einer randchinesischen Stammesgruppe der Frühen Han-Zeit in Zentral-Yünnan. *Beiträge zur Allgemeinen u. Vergleichenden Archäologie 1* (1980), 69–144.

3. Kunst und Kultur von Dian in Einzelstudien

An Zhimin: «Gan-lan» shi jianzhu di kaogu yanjiu (The «Gan-lan» [Pile Dwellings] in Ancient China) *KGXB* 1963: 2, 65–85, Tafeln 1–8.

Bunker, Emmy C.: The Tien Culture and Some Aspects of Its Relationship to the Dong-son Culture. In: *Early Chinese Art and Its Possible Influence in the Pacific Basin,* Vol. 2, 291–328. Eds. Noel Barnard, Douglas Fraser. New York 1972.

Dewall, Magdalene v.: Decorative Concepts and Stylistic Principles in the Bronze Art of Tien. In: *Early Chinese Art*... (s. o.), 329–372 (1972).

Dewall, Magdalene v.: Individualität, Anonymität und Kollektivität im Kunsthandwerk chinesischer Randkulturen zur Späten Bronzezeit. In: *Künstler und Werkstatt in den orientalischen Gesellschaften,* 153–170, Taf. XXI–XXIII. Hrsg. Adalbert J. Gail. Graz 1982.

Dewall, Magdalene v.: New evidence on the ancient bronze kettle-drum of Southeast Asia from recent Chinese finds. In: *South Asian Archaelogy* 1981, 334–340. Ed. Bridget Allchin. Cambridge 1984.

Feng Hanyi: Yunnan Jinning Shizhaishan chutu wenwu dizushu shi tan (Ethnological studies on antiquities from Shizhaishan) *KG* 1961: 9, 469–487, 490. Taf. 6.

Feng Hanyi: Yunnan Jinning Shizhaishan chutu tongqi yanjiu rugan zhuyao renwu huotong tuxiang shi shi (Studies on the bronzes unearthed at Shizhaishan, Jinning – An Interpretation of some major figures) *KG* 1963: 6, 319–329, Taf. 7.

Feng Hanyi: Yunnan Jinning chutu tonggu yanjiu (Studies on the bronze drums unearthed at Jinning) *WW* 1974: 1, 51–61.

Gray, Basil: China or Dongson? *Oriental Art* 2, 1949/50, 99–104.

Its, Rudol'f Ferdinandovič: *Zolot'ie mečii kolodki nevol'nikov* (Goldene Schwerter und Sklavenblöcke; russ.) Moskau 1976.

Janse, Olov R.T.: Un groupe de bronzes anciens propres à l'Extrême-Asie Méridionale. *Bulletin of the Museum of Far Eastern Antiquities* 3, 1931, 99–139.

Li Weiqing: Yunnan gudai di tongzhu yishu (The Artistic Achievement of Ancient Yunnan Bronzes) In: *Yunnan qingtong qi luncong* Gesammelte Aufsätze über Yünnan-Bronzen), 192–202. Beijing 1981.

Lin Sheng: Jinning Shizhaishan chutu tong qi tuxiang suo fanying di Xi Han Dianchi diqu nuli shehui (Die Sklavengesellschaft der Westlichen Han-Zeit im Gebiet des Dian-Sees im Spiegel ihrer Bronzedarstellungen) *WW* 1975: 2, 69–81.

Pirazzoli-t'Serstevens, Michèle: The Bronze Drums of Shizhaishan, their Social and Ritual Significance. In: *Early South East Asia,* 125–136. Eds. Ralph B. Smith, William Watson. Oxford 1979.

Tong Enzheng: Wo guo xinan diqu qingtong jian di yanjiu (The Bronze Daggers of Southwestern China) *KGXB* 1977: 2, 35–55.

Tong Enzheng: Wo guo xinan diqu qingtong ge di yanjiu (Bronze Dagger-axes [*ge*] in Southwest China) *KGXB* 1979: 4, 441–457.

Wang Dadao: Yunnan Dianchi quyu qingtong shidai di jinshu nungye shengchan gongju (The Bronze Age Farm Tools of the Dianchi area in Yunnan) *KG* 1977: 2, 92–96, 91. Taf. 1.

Wang Ningsheng: Jinning Shizhaishan qingtong qi tuxiang suo jian gudai minzu kao (Ancient tribes in Yunnan as represented on bronzes unearthed at Shizhaishan in Jinning) *KGXB* 1979: 4, 423–439.

Wang Ningsheng: Shilun Shizhaishan wenhua. In: *Zhongguo kaoguxue hui diyizi nianhui lun wen ji* 1979 (Die Shizhaishan-Kultur. In: Beiträge der 1. Jahresversammlung der Chinesischen Archäologischen Gesellschaft 1979), 278–293. Beijing 1980.

Wang Ningsheng: *Yunnan Kaogu* (Die Archäologie von Yünnan). Kunming 1980.

Wang Ningsheng: Yunnan qingtong qi cong kao (Remarks on Bronzes from Yunnan) *KG* 1981: 2, 164–170.

Wang Zhongshu: Shuo Dian wang zhi yin yu Han Wanuguo wang yin (Notes on the Seal of the King of Dian recently discovered at Jinning) *KG* 1959: 10, 573–575.

Watson, William: Dongson and the Kingdom of Tien. In: *Readings in Asian Topics. Scandinavian Institute of Asian Studies Monograph Series 1,* 1970, 45–71.

Zhang Zengqi: Cong chutu wenwu kan Zhanguo zhi Xi Han shiji Yunnan huo Zhong yuan diqu di miqie lianxi (Über die enge Verbindung zwischen Yunnan und dem kernchinesischen Tiefland nach Aussage der Grabungsfunde zur Zhanguo- bis Westlichen Han-Zeit) *WW* 1978: 10, 31–37.

Zhang Zengqi: Yunnan gudai wenhua di fajue yu yanjiu (Ausgrabungen und Forschungen zur frühen Kultur von Yunnan). In: *Wenwu kaogu gongzuo sanshi nian 1949–1979* (30 Jahre Archäologie in China), 372–384. Beijing 1979.

4. Dian-Funde in Ausstellungskatalogen und Tafelbänden

1962 *Xin Zhongguo di kaogu shou huo* (Archaeology in New China) Beijing. Taf. 92–95, Text S. 89–92.

1968 *Arts of China* – Neolithic Cultures to the Tang Dynasty – Recent Discoveries. Tokyo. Ch. II: Takashi Okazaki: Han to Tang – Innovation in Art, Nrs. 138–141.

1973 *Zhonghua Renmin Gongheguo chutu wenwu zhanlan* (Chines. Katal.) (Archaeological Finds of the People's Republic of China) Beijing. Taf. 76–81.

1973 dto. japan. Katalog, Archaeological Treasures Excavated in the People's Republic of China. Sect. 4 «Early Han Tombs at Shizhaishan», Nrs. 80–89. Tokyo.

1973 Asahi Graph, Illustrierte vom 20.6.73. Tokyo. Titelseite u. S. 50–56.

1973 *Trésors d'art Chinois – récentes découvertes archéologiques de la République Populaire de Chine.* Paris. Nrs. 169–203.

1973 *The Genius of China* – An exhibition of archaeological finds from the People's Republic of China. London. Nrs. 176–208.

1974 *Ausstellung Archäologischer Funde aus der Volksrepublik China.* Wien. Text S. 101–103, Nrs. 177–206.

1975 *Trésors d'art Chinois – Découvertes archéologiques en République Populaire de Chine.* Bruxelles, S. 47–50.

1977 *Art and Archaeology in China.* Melbourne. Taf. 65–66.

1980 *The Great Bronze Age of China.* Ed. Wen Fong. New York. Nr. 97.

1981 *Yunnan qingtong qi* (Chines. Ausgabe) = The Chinese Bronzes of Yunnan. Engl. Ausgabe: The Bowater Library of Chinese Civilization. London/Beijing. 249 Taf.

1984 *Xin Zhongguo di kaogu faxian huo yanjiu* (Archaeological Excavation and Researches in New China). Beijing. Text S. 487–494.

1984 *Unnan hakubutsukan seidoki ten,* (Ancient Bronzes from the Yunnan Provincial Museum, People's Republic of China). Tokyo.